遠藤 遼

千年を超えて君を待つ

実業之日本社

人生はふたつしかない。

それは推しのいる人生と、推しのいない人生。

推しのいる人生は最高です。

そんなわたしの推しは紫式部（むらさきしきぶ）。

千年前に『源氏（げんじ）物語』を書いた人物。

歴史上の人物だから炎上もない、と思っていたら、

なぜかわたしが平安時代へタイムリープ。

推しの紫式部が目の前にいる夢の日々——と思っていたら、

紫式部は大変な悩みの渦中にあって。

このままでは紫式部も『源氏物語』もどうなるかわからない⁉

推しの紫式部を、『源氏物語』を救うため、十二単（じゅうにひとえ）を引きずる日々。

なぜなら——。

わたしは紫式部と『源氏物語』に、命を救ってもらったのだから。

目次

物語の始まり

塾講師のバイトが終わって、さっさと帰ろうとしたら雨だった。

天気予報の嘘(うそ)つき――。

霧雨だとたかをくくっていたら、もっとも濡(ぬ)れるタイプの霧雨だった。

でも大丈夫。

わたしには、推しがいるから。

「うわー、雨」

「最悪」

「藤原(ふじわら)先生、さよーならー」

女子生徒たちはスマホをいじりつつ、男性アイドルの画像をきゃあきゃあと見せ合いながら出ていく。

「やっぱジョンクグがいちばんかっこいいって」

「あたしはミジンが好き。超ヤバい」

「待って。ジョンクグの新しいSNSが出てる」

うんうん、わかるよ、と藤原弥生(やよい)は心のなかで激しく同意する。

楽しいよね。推しのいる生活って。

名前の響きからすると、いわゆる韓流スターかな？

相手が男性でも女性でも、日本人でも外国人でも、三次元でも二次元でも、人間でもそうでなくても——推しがいればあとは何もいらない。

推しに優劣はない。

きみの推しはわたしの推しではないけど——それどころか、徐々に年を取っていく韓流アイドルの良さはわたしには理解できないけど——尊重する。

それが推しを持つ者の矜持。

けれども、年を取らない推しのほうがわたしには合っている。


生徒たちを見送って少し時間をずらして、塾舎を出た。

街灯の反射で光り出したアスファルトを、弥生は撥水パンプスで急ぐ。

メガネが早くもびしょびしょだ。

訂正。推しがいても、傘は欲しい。

藤原弥生はこの辺りのコンビニの位置を頭の中で検索し始めた。

検索の結果、コンビニは駅近に集中していて、この辺にはない。

駅まではもう少し。

傘はあきらめよう。

雨のせいで腕にスーツがまとわりつく。

霧雨と冷たい風が前髪をへたらそうとしていた。

塾講師のアルバイトはそれなりに実入りがいいが、こういうのは嫌になる。

霧雨にけむる京都の外れ。夜闇に寺社が並び、街灯のなかを地元の人も観光客も、ときには舞妓(まいこ)さんたちまでも行き交う。


その中にふと、平安時代の牛車(ぎっしゃ)が混じっているのが見えた。


「噓」

振り返ればそんなものはない。

当たり前だ。

ここは京都とはいえ二十一世紀なのだ。

今夜は、いつもチェックしている「平安装束暮らし」のＳＮＳの更新がある。気が急(せ)いてそんな幻を見たのだろうか。

「幻」という言葉から連想して、ふと口ずさんだ。

かきつめて　見るもかひなし　藻塩草
　同じ雲居の　煙となれ
——かき集めて見るのも甲斐がない手紙ばかりよ。書いた紫の上と同じ雲居の煙と
　なるがいい。

口のなかを満たす歌の響きにうっとりする。

『源氏物語』——紫式部が書きあらわした日本古典文学の最高峰のひとつ。そのなかの「幻」という帖（巻）にある歌だ。

……何十年も連れ添った愛妻の紫の上に先立たれた源氏が、彼女が残した手紙をすべて焼いてしまうときに詠んだ、悲しくも美しい歌である。

文学部の大学院生である弥生の研究対象でもあった。

ああ、紫式部。

なんてすてきな物語を書いたのだろう。

さすが、わが推し。

日本最高の女性小説家。

弥生は急にこみ上げてきた生あくびをかみ殺した。

「そういえば、このところ紫式部の文献あさりと塾講の連続でまともに寝ていなかっ

たしなぁ」

だから「幻」を見たのかもしれない。

そういえば今日は十一月一日――古典の日。

それもあったのかも。

古典の日の由来は、『源氏物語』の作者・紫式部の日記である『紫式部日記』にある。

寛弘（かんこう）五年（一〇〇八年）十一月一日の箇所に、藤原公任（きんとう）という人物が紫式部に「あなかしこ、このわたりに若紫（わかむらさき）やさぶらふ」と声を掛けたと記されていることにちなんだのだ。「そういえば、このあたりに若紫（『源氏物語』の女主人公・紫の上の幼名）がいらっしゃるのでは、と声をかけてきた」というのである。

余談だが、そう言われた紫式部は、ここには源氏もいないし自分が紫の上だなんて、とまじめに憤慨している。

女主人公で呼びかけるほど作品を愛してくれている人がいたという作家冥利に尽きる話のはずなのに。

ああ、奥ゆかしくてすてき。

駅へ急ぐスーツ姿の男女を見ながら、社会人になったら雨でもなんでもスーツ姿の通退勤が日常茶飯事になるのだろうなと思う。社会人、すごい。

そのとき、わたしはまだ「幻」を見られるだろうか。

「つれづれと降り暮らして、しめやかなる宵の雨に」

弥生は口のなかでぶつぶつつぶやいた。

雨濡れが嫌なのでスマホも出せない状況だから、心に思い浮かんだ言葉がそのまま口をついて出てきた感じだ。

と言っても出典はやはり『源氏物語』である。

源氏オタクと笑わば笑え。

紫式部なんて千年前の人物が推しになるのかと、突っ込んでもらっても結構。

メガネ姿で、髪はひとつ縛りの地味な院生が、推しに対する情熱が薄いなんて誰が決めた。

否。推しへの愛なら人後に落ちないつもり。

推しのためなら死ねる。

大学院に進みたいと言ったときに、公務員の父からも散々に言われた。

いまどきそんなものを研究して、就職はどうするんだ——父親からそんなふうに怒られているのに「今日、牛車の幻を見ました」なんてメールしたら、両親は東京に力尽く（ちからずく）でも引き戻そうとするかもしれない。

そもそも研究者なんて者は、その人、その本、その現象、その物質、その数式、その他研究対象を激推ししているファン以外の何者でもないのだ。

つまり、研究は推しごとであり、喜んで沼っている。

ちなみに、先ほど弥生が口にしたのは、第二帖「帚木（ははきぎ）」の一節だった。「しとしとと五月雨が一日中降って、しっとりとした夜の雨に」くらいの意味である。ここで言う「五月雨」は梅雨のこと。ちょっと季節が違うがそこは大目に見てもらおう。

物語ではこのあと、「殿上にもをさをさ人少なに、御宿直所（おんとのいどころ）も例よりはのどやかなる心地するに」——殿上の間にもあまり人影もなく、御宿直所もいつもよりはのんびりとした気分で、と続く……。

駅に着き、ハンカチでメガネをふき、濡れた肩や腕などを押さえるようにした。バイトのための一張羅、シミにならなければいいけど。

電車で吊革につかまり、サイドテールのひとつ結びの髪を前で整えると、頭のなかで『源氏物語』の続きに浸る。

弥生が口ずさんだ場面は、主人公の源氏や親友の頭中将（とうのちゅうじょう）らが、泊まりがけで宮中に詰める宿直のときのものだ。

光り輝くような、と称された美貌の源氏と、彼には劣るものの凜々（りり）しい美男子の頭中将らが、梅雨の長雨のしとしとと降る広間で、歌を読んだり手紙を見せ合ったりしている。

手紙は女性からの手紙である。

手持ち無沙汰な夜、男ばかりが集まれば、話は恋のあれこれに移っていくのは『源氏物語』が描かれた千年以上前も同じことだ、とは指導教官の教授の弁。

こんな恋バナ展開は女同士でもそうだと聞くが、あいにく弥生にはそのような経験がないので詳細はわからない。

頭中将らは言う。

非の打ちどころのない女は滅多にいない、ひっそり暮らしている中流の女が趣があってよいものだ、趣味や情に走りすぎるのは困るが所帯じみているのも嫌だ、勤めから帰ったらあれこれ話したいのに仕事の話がまったくできない女も困る――。

そのほか、恋の失敗談もたくさんある。

年若い男子同士の会話とはいえ、言いたい放題だ。

言いたい放題だけど、妙におもしろい。教科書で出てくることもある。

電車が止まった。

急行の待ち合わせらしい。

急行に乗り換えて早く帰りたい気持ちもあったが、すし詰めにされるのが嫌でそのまま吊革につかまっていた。

急行に乗り換える人も乗り換えない人も、ほとんどスマホを手にしている。

そのなかで、自分だけが『源氏物語』を反芻し、味わっている。

現代人のなかにあって、ひとり自分だけが平安時代人のよう。

平安時代の十二単姿の女性が吊革につかまっていたら、周りの人はどんな目で見るだろう。

そんなことを考えながら車窓を見ていたら、サイドテールにメガネの弥生の顔ではなく、十二単を着た平安装束の女性が映っていた。

「え?」

弥生はメガネを外して、目をこすった。

あらためてメガネをかけて車窓を見れば、いつもの地味なメガネ姿の自分の顔が映っている。

牛車といい、十二単の平安女性といい、だいぶ疲れているのかな、と思った。

けれども、同時に「幻を見るくらいに沼ってきた自分」に、うれしくなる気持ちもある。

そのくらい、弥生にはスマホよりも『源氏物語』のほうが重かった。

あー、早く家に帰って「平安装束暮らし」その他諸々の平安関連・紫式部関連のSNSをチェックしたい。

弥生はスマホではそれらのサイトを見ないことにしていた。

家にある解像度の高いモニターで見るのが楽しみなのだ。それぞれのサイトさんでは、平安時代の装束を自分たちで復活させてオフ会を開いたり、『源氏物語』のワンシーンを再現したりして、サイトにあげてくれている。十二単の絹の質感や襟元の襲の色目の色合い、男性が着る狩衣に散らされている紋の風合いなどを細かくチェックするには、ゲーミングPCの最上級のモニターでないとだめなのだ。

弥生もやってみたいが、自分でそのような装束をするにはお金がかかる。貧乏院生の自分にはサイトをチェックするしかないのだが、どの方も再現度が高すぎて感謝しかない。

何しろ、『源氏物語』で命を救われたのだから。

高校時代のことだ。

髪は後ろでひとつしばりで、メガネ姿の地味な女子高生だった弥生は、恋をした。

相手はひとつ上の先輩でサッカー部のレギュラー。

吹奏楽部だった弥生は、練習の合間にグラウンドで彼の姿が見えるだけで幸せだった。

その片思いの気持ちが、どういうわけか彼に伝わった。

「絶対あり得ないって先輩が言ってた」と、クラスメイトのサッカー部員がご丁寧にも教えてくれて、弥生の初恋はあえなく散った。

ここで話は終わるはずだった。

問題は、弥生が好きになった先輩が、ものすごく人気者だったということだ。

友達づきあいの狭い弥生には、その先輩のファンクラブ的なものがあるなんて知らなかったのだ。

弥生は「抜け駆けをした」とイヤミを言われ、とにかく目立たないように縮こまっていた。

けれども、いじめは徐々にエスカレートしていく。

一方的な失恋といじめ。

十代の心を折るには十分過ぎた。

弥生は自殺を考えるようになった。


ひとり暮らしのアパートの最寄り駅で電車を降りる。

雨はまだ降っていた。

やっぱり傘を買おう。最近、ビニール傘が高くて嫌になるけど。

コンビニでビニール傘と、夜ごはんのお弁当とチョコレートを買った。

チョコレートは嗜好品(しこうひん)としても、脳の疲労回復としてもすばらしい。要するに大好きなのだ。

『源氏物語』の時代にはチョコレートはなかった。その点は現代がすばらしい。

コンビニを出ると、おろしたてのビニール傘がすぐに水滴に覆われた。


またひとり、口の中で暗誦する。

「いづれの御時にか、女御更衣あまたさぶらひたまひけるなかに、いとやむごとなき際にはあらぬが、すぐれて時めきたまふありけり」

どの帝の御代であったか、女御や更衣などがたくさんいらっしゃるなかに、たいそう高い身分ではないのに、きわだってすぐれた寵愛を受けているお方がいた——。

『源氏物語』第一帖「桐壺」の冒頭だ。

ここから全五十四帖の長大な物語世界が展開していく。

いまから千年以上前に、これほどの物語を女性作者が執筆したのは世界史的に見ても稀有なことだ。

中国は北宋の時代であり、ヨーロッパは東ローマ帝国の時代。十字軍の遠征はもう少しあとの話である。


高校時代の弥生は、失恋といじめでリストカットが少しずつ増えていった。

その弥生が、何度目かのリストカットのあとに、なんとなく手にしたのが『源氏物語』のマンガだった。

母親が、引きこもっていた弥生の気が少しでも紛れるようにと買って置いてくれたのである。

そのマンガ自体がもうずいぶん昔のもので、マンガの古典と言ってもいいものだったけれど、弥生はその世界に心を奪われた。


生きている、と思った。


自分の毎日と比べて、この二次元のキャラクターたちのほうがよほど生きている。

それは彼らの喜怒哀楽の感情が、千年の時を超えて弥生の胸に刺さったからだ。

マンガではなく、活字で読みたいと思った。


読みやすかったのは田辺聖子（たなべせいこ）先生の「新源氏物語」シリーズ。

さらに円地文子（えんちふみこ）先生や与謝野晶子（よさのあきこ）先生の訳にも手を出していった。

荻原規子（おぎわらのりこ）先生の訳である「源氏物語 紫の結び」シリーズも好きだ。

現代語訳ではなく、原文で読みたいと思った。

これでは『源氏物語』読みたさに等身大の仏像を彫り上げて願をかけたという菅原孝標女と変わらない。

けれども、弥生の「源氏」熱はいっこうに冷めなかった。


気がつけば、ささやかな失恋などどうでもよくなっていた。

「源氏」愛と比べれば、あれは小さなものだった。

自分が全力を推せるものを見つけたのだ。

陰口もいじめも、「源氏」推しの結果で得られた学力のおかげでなりを潜めていった。

ガリ勉だ陰キャだとかいう声もたまにはあったが、ご勝手にどうぞ、だった。


原文にまで手を伸ばした弥生は、さらにこう思った。

紫式部とはどんな人だったのだろうか。

なぜ千年以上のちのわたしの心にまで沁みる物語を書けたのだろうか。

弥生は京都で文学部国文学科のある大学に入り、ただひたすら『源氏物語』を書いた紫式部を追いかけ——自らの宿命の推しと出会ったのだ。

弥生をいじめる者は、もういなかった。

熱いシャワーで身体を温め、チンしたコンビニ弁当でお腹を満たす。

いそいそとPCを立ち上げ、「平安装束暮らし」をチェックする。

「え。今回は貴族子弟の蹴鞠？　うわー。沓の漆の光り方。この狩衣の躍動感。サイコーしかない」

メガネ地味子に見られがちな弥生だが、いまのテンションは極めて高い。

「いいなー。いつかやってみたいなぁ。京都でそういう行事やってるときあるけど、ほんとは蹴鞠って男だけなんだよなー」

お気に入りの平安・紫式部関連のＳＮＳをあちこち見て回る。更新されていないところもあるが、繰り返し同じ投稿を楽しむのも、いとをかし。

一通り「平安成分」を摂取して満足し、温かい緑茶を啜ったとき、弥生は喉の辺りに違和感を覚えた。

「風邪、引いちゃったかな。やだなぁ」

独り言をつぶやきながら、そばに山積みになっている本から『紫式部日記』を取り出す。

ここからが本番。推しの紫式部にじっくり浸るのだ。

開いたのは、紫式部が仕えている藤原彰子が一条天皇とのあいだに授かった敦良親王の五十日の祝いの箇所だ。

紅梅に萌黄(もえぎ)、柳の唐衣(からぎぬ)、裳(も)の摺目(すりめ)など今めかしければ、とりもかへつべくぞ、若やかなる。

――わたしは紅梅の袿(うちき)に萌黄の上着、柳の唐衣、裳の摺模様などいまふうのものを取り入れて、若い小少将と取り替えたいくらい若作りをしてしまった。

ここを読むといつも微笑(ほほえ)ましい。

生没年がはっきりしない紫式部だが、このとき三十五歳前後だったくらいはわかっている。

紅梅はやや深めの落ち着いた赤だが、萌黄も柳も緑色が強いので全体的には緑系統で統一した衣裳(いしょう)である。

それを「ハレの日とはいえ若作りしてしまった」と恥ずかしがる紫式部。めっちゃかわいいと思う。

ああ、その唐衣の衣裳と長いつややかな黒髪のむこうにはどんな顔があったのだろうか。

どんな声だったのだろうか。

その息づかいに触れたくて、紫式部のいた京都に来たけれど、この「推し」はなかなか気まぐれで捕まえたと思ったら逃げていく。

録っておいたドラマをかけて、ベッドに横になった。

「紫式部さん――それとも藤原香子さん？」

藤原香子、というのは紫式部の本名ではないかと言われている名前だった。

この時代、女性は夫か、ごく親しい身内くらいにしか本名は明かさない。

今日知られている紫式部という呼び方も、実は諸説あったりする。

その漠然茫漠さが、千年のミステリーとなってわたしの推し心を刺激しつづけていた。

「あなたはどんな女性だったのですか。何に喜び、何に涙したのですか」

何度も読み返している『紫式部日記』をぱらぱらする。

日記を見る限りでは、口下手で社交は苦手。

想いは文字にぶつけていた女性に見える。

当時の世相として賢い女という評判が立つのを嫌って、首を引っ込めていた姿は、高校時代のいじめられていた自分に微妙に重なる。

会って話してみたい。
できるなら、直接『源氏物語』の感想を伝えたい――。

そのときだった。
ぐらり、と視界が揺れた。
地震かなと思ったけど、京都に地震はあまりない。
スマホが緊急地震速報を打ってもいない。
となればこれは――自分が揺れている？
額に手をやった。
熱い。
雨に濡れたせいか。
電車で変な幻を見たのはこの前兆だったのだろうか……。
体温計はどこだったか。
風邪薬はあったかな。
コンビニでC.C.レモンとポカリを買っておけばよかった。
「ひとり暮らしの風邪って、きついんだよなぁ」

熱があるとわかったせいか、急に身体に力が入らなくなる。

『紫式部日記』を閉じて、目を閉じた。

ドラマは耳に入らず、頭の中では「いづれの御時にか……」という『源氏物語』の冒頭が何度も回っている。

壊れたレコードのように、あるいはお念仏のように。


部屋の蛍光灯を消した、と思う。


息が熱い。

目を閉じているはずなのに、なぜかまぶたの裏が明るくなった。


なんだろう。

閉じたままのまぶたに、何かが見える。

まぶたを開けないで目を凝らしていると、そこには昼の京都御所のような建物が見えてきた。


白昼夢？　走馬灯？

もしかして、ちょっとまずいのではないか？

風邪ではなくてインフルエンザだったりしたのか？

ああ、でも平安時代の人たちも風邪はつらかったはずだ……。


御所のような庭で、何人かの平安貴族が蹴鞠をしているのが見える。

さっきのサイトの残像だろうか。

気がつけば、自分は簀子と呼ばれる外廊下のようなところで蹴鞠を鑑賞していた。

あれ？　こんなアングルでの投稿、あったかな……。

そう思って視線を落として自分の衣裳を見る。

思わず声を出しそうになった。

身につけているのが十二単——平安時代の正式な女房装束だったのだ。

しかも自分だけではない。

そんな女房たちがずらりと簀子に並んでいた。

この時代のたしなみとして、装飾を施した扇で顔を隠して目だけを見せている。本名と同じく、女たるものは深い関係の男か親族以外には素顔を晒してもいけないのだ。

つまり、女性が顔の美醜をあげつらわれる世界ではなかった。

わたしにもワンチャンあったかも。
ダメだ。だいぶ熱があるみたいだ……。

明るい日射しの下、蹴鞠が続く。
いい夢だなぁ、と弥生はふわふわした気持ちになった。
ふと、弥生の隣の女房が小声でささやきかけてくる。
『わたし、こういう人の多いところはどうにも苦手なの』
しっとりと湿り気を含んだ、つややかでやや低めの大人の女性の声。
ずっと聞いていたいような、懐かしいような、不思議な声だった。
どこの誰とも知らないのに、夢のなかの弥生が返事をする。
『ふふふ。出仕してだいぶ日がたつというのに変わらないのですね』
すると相手は小さくため息をついて答えた。
『わたし、物語だけ書ければいいのに』
見知らぬ女房のその言葉に、弥生の心臓が大きく跳ねた。
この人は、まさか――。
その弥生の思いに答えるように、夢のなかの弥生が勝手に返事をしていた。

『そんなことを言ってはダメですよ。あなたは都でもっとも有名な物語作者、紫式部なのですから』

紫式部――。

いまこの目の前にいる、どこかつまらなさそうな目つきの女房がそうだというのか。

弥生がその名に驚いていると、心の中に誰かが呼びかけてきた。

――ね、あなたもそう思うでしょ？

夢のなかで自分だと思っていた女房が、弥生に話しかけてきた声だった。

――そう思う、って、紫式部が都でもっとも有名な物語作者だってこと？

――そう。

――もちろん。世界に冠たる女性作家だと思っているよ。

――うん。あなたなら絶対そう言ってくれると思っていた。

――それよりも、この夢って。

弥生が尋ねようとするのを遮って、心のなかの声が言った。

――お願い。香子を助けて――お願い……。

助ける？　どういうことなのか。

声が遠のいていく。

そういえばいま、香子と言ったか。

ああ、やはり紫式部の本名は香子だったんだ。

修士論文に盛り込もう。

紫式部の素顔を……。


遠のく声は「香子をお願い」と繰り返している。祈りのように。

熱に浮かされた弥生の意識が闇にのみ込まれていく。

弥生に呼びかける声が、誰かの声に似ているように思ったが、誰だか答えが出る前に何も聞こえなくなってしまった。

＊　＊　＊

白い日射しを肌に感じて、弥生は目を覚ました。

「朝か」

不思議な夢を見た、と思って天井を見て、弥生は驚愕(きょうがく)した。

アパートの天井ではなかったのだ。

見たことのない部屋だ。

病院かとも思ったが、それもすぐに否定する。

ベッドではなく床に寝ていたのだった。

ならば——まだ夢か。

夢にしては見た目もはっきりしているし、触感も現実感がある。

「ここは……どこ？」

平和な小鳥のさえずりと静かな朝の空気がたゆたっていた。

その空気に、嗅いだことのない深い薫香がした。

身体が少し重い。

熱のせいだろうと上体を起こそうとして、自分の身体が物理的に重たいことに気づいた。

髪が引っぱられている。

「何これ」

それだけではない。身体というか、身体を覆っている衣裳が重いのだ。

パジャマでも、トレーナーでもない。

和服である。

さらに布団の代わりに袖のついた衣裳をかぶっていた。これも重い。

髪は一晩のあいだにすばらしい成長を遂げて、そばの箱の中に収められていた。

まったく理解できない。


しかし、文献で見たことはある。

和服と表現した衣裳は、たぶん小袖に、裳と呼ばれる長袴（ながばかま）。

身体を覆っていた布団代わりの衣裳は、袿と呼ばれる衣裳だが、衾（ふすま）と呼んでもいいだろう。

長い髪を収めてあるのは髪箱という箱で、寝るときに長い髪を収めて乱れないようにするために用いられた。

問題は——それらすべてが平安時代のものだということだった。


「どういうこと？」

弥生は焦った。

意味がわからない。

わたし、文献読みすぎて、とうとう現実との区別がつかなくなった？

それはそれでいいかもしれないけど……。

顔を触り、髪を引っぱってみる。
カツラではなかった。
手の平を見たり、手の甲を見たりしてみる。
わたしの手、こんなだったかな。
若干違和感があった。
違和感の正体を探っているうちに、あることに気づく。
高校生のときにつけたリストカットのあとが、まったくないのだ。
しかも、少し手が小さい。
よく考えたら、メガネがないのにものがよく見えている。
つまり――。

これは、「藤原弥生」の身体ではない。

そんなバカなことがあるわけない。
やはり夢確定か。

そのときだった。

若い女性の声が胸のなかから聞こえてきたのだ。

《夢ではないの。これはわたしの身体だから》

「え？　誰？」

思わず大きな声を出してしまった。

弥生の声に、胸のなかからではなく、右手のほうから答えがあった。

「小少将（こしょうしょう）」

と呼びかける声とともに髪の長い女性がやってきて、寝ている弥生を覗（のぞ）き込んだ。

ややくすんだ紅色である梅色の細長に小袿という衣裳。

十二単を女房の正装とすれば、略礼装の位置づけだ。

年の頃は三十前後。

オーバードクターの院生のような知的な雰囲気があった。

その雰囲気に似つかわしい、深く慎み深い薫香が、少し遅れて弥生の顔をなでる。

「えっと……」

弥生が何から話すべきか聞くべきかを考えているうちに、その女性は寝ている弥生の身体に覆い被さるように頬を合わせてきた。

ハグと言えばハグなのだが、久しぶりの人肌の接触にどきどきしてしまう。

弥生の動揺を知ってか知らずか、女性は少しして離れた。

その目に涙が溜まっている。

「ああ、よかった。やっと目を覚ましてくれたのですね。これも御仏の功徳。わたし、小少将の君にもしものことがあったらと、胸潰れる想いでした」

しっとりした声だった。

色白の肌に黒絹の髪が映える。

やや八の字の眉。一重のまぶた。目つきはやさしげだったが、瞳には何かを丁寧に勉強してきた人物特有の知的な輝きがあった。

その女性も気になったが、まずは「小少将」という呼び名だ。

平安時代らしき場所で小少将といえば、と心に思ったら、また声が返ってきた。

《小少将とはわたしの女房名。この身体に宿ったあなたの、今日からの名前》

ちょっと待って。

なんか一方的に話が進んでない？

抗議しようとした弥生だったが、続く言葉に思考が停止した。

《目の前にいる女性は藤原香子。紫式部と呼ばれる女房。わたしの大切なお友達》
刹那、いろいろなことが思い出された。
いま弥生を抱きしめた女性は、昨夜、意識を失う前に見ていた夢で隣にいた女性だ。声が同じだった。
それに、自分の胸のなかから聞こえてくる声もまた、意識を失う直前に弥生に呼びかけていた声と同じではないか。

「紫、式部……？」

少し嗄（か）れた声で呼びかけると、弥生を抱きしめた女性は微笑みながら、頬に一筋の涙を流した。

「そうですよ。紫式部です。香子ですよ」

その微笑みと涙が、弥生の記憶の鍵を開けた。

正確には、紫式部の親友である小少将の記憶だ。

小少将が生まれてから今日ここに至るまでのあらゆる記憶が、一気に弥生の頭と心になだれ込んできたのである。

「うっ」と小少将――弥生は呻（うめ）き、身をよじった。

急にふたり分の記憶を持たされたのだ。

頭と心と意識に無理やりもうひとりぶんが押し込まれ、目が回った。

幼少時のことや両親の顔などがごちゃ混ぜになってしまっている。


「大丈夫ですか⁉」

紫式部とおぼしき女性が慌てる。

「少しすれば、大丈夫です」

たぶん……。

その弥生の声に重なるように、心の中で小少将が告げた。

《少しすれば、大丈夫です。わたしは表には出ません。ここからはあなたが小少将として紫式部を、香子を助けてあげてください》

待って。

わたし、二十一世紀に帰りたいんだけど。

《あなたの「推し」なのですから、よろしくお願いします》

ずいぶん事情通ではないか。

そう問い詰めようとして、声の主に差し出した右手がむなしく空を摑(つか)んだ。

もう声は消えていたのだ。

その消え去り方が、むしろ弥生に「これは夢ではないのだ」という実感を持たせた。

代わって目の前にいるのは紫式部である。


推しが目の前にいる。

会いたいがかなわぬ願いだと思っていた推しが。

「紫式部さま……？」

「まだ熱が残っているのかしら。さま付けなんて。わたしたちは同じ局(つぼね)に寝起きしている友達でしょ？」

気が動転した挙げ句に爆発しなかったのは、小少将が埋め込んでくれた「紫式部とは仲のいいお友達」という記憶のおかげだった。

お友達が推しなんて、それはそれですごいことだ。

あらためて紫式部を凝視してしまう。

黒い髪はつややか。落ち着いた顔立ち。物事を深く考える人特有の奥深い目の輝き。

やや薄い唇は血色も薄いが、大人の女の色香がある。

衣裳は赤系統だが落ち着いている。若い女房のような派手さはない。

その衣裳から覗くほっそりした手と指。

この手に筆を持って稀代(きたい)の物語をさらさらと物していくのか。

思わずその手を握りしめ、拝んだり頬ずりしたくなったりするが、「小少将」の記憶がストップをかける。

推しが目の前にいるのに！

どうして妙に理性的になってしまうのか！

それならば、「小少将」の記憶なんていらない——と思ったけど、自分が「小少将」だからこそ、いまこの場にいられて——あろうことか——紫式部にちやほやと看病してもらえるのだと思い出し、ちょっと冷静になる。

「あ、あのぉ。紫式部……？」

「はい？」

「て、手を握ってもいいですか」

すると紫式部はやさしげに微笑んだ。

弥生が知っているどんな女優よりも美人だ。異論は認めない。

「ああ、そんなこと」

そう言って、紫式部は「小少将」の——弥生の手をふわりと握ってくれた。

ほっそりした見た目に反して、柔らかく、ひんやりしている。

この繊細な指先からあの物語が……。

小説家の熱烈なファンは大勢いるだろうが、その小説家の手や指に触れた人間は数少ないだろう。ましてやただの小説家ではない。二十一世紀から見れば千年前の偉大な小説家の指に触れているのだ。

「あふう」

思わず声が出た。法悦。

「熱のときって、不安ですよね」

「紫式部も……？」

「ええ」

何てことだ。今度、紫式部が熱を出したときは一日二十四時間ずっと手を握っていてあげよう。

そんなことを考えていたら、紫式部に怪訝な顔をされた。邪な念いが顔に出ていたのかもしれない。

「あ、あのぉ」弥生はごまかそうとした。「よくがんばってる、って頭をなでてもらってもいいですか」

無意識に口にして、しまったと思った。

邪な念いをごまかそうとしたら、かえって欲望の赴くままにしゃべってしまったようだ。

紫式部は目を丸くした。

引かれた、と思った。

その瞬間、世界が暗転した。

もうダメだ。

推しに蔑まれたら、もう生きていけない。生きている意味がない。

けれども、それは早合点だった。

紫式部はちょっと苦笑すると、握っていた手をほどいて「小少将」弥生の頭を静かにそっとなでてくれたのだ。

「ふふ。まるで女童（めのわらわ）のよう」と言う紫式部の目がやさしい。

「紫式部……」

「小少将はよくがんばっているよ。わたしは出仕してすぐに実家に帰ったりもしたけど、あなたはその小さな身体で、人から悪口を言われたらその悪意だけで儚（はかな）くなってしまいそうな繊細な心で、よくがんばってる」

紫式部って、親しい人にならこんなにも親切な人だったのだな。

不安だった心に灯（あか）りがともったようだった。

なぜだか涙がこぼれた。

これは自分の気持ちだろうか。

それともだんまりを決め込んでしまった「小少将」の気持ちだろうか。

けれども。
推しからこれだけ甘やかされた人間は世にふたりといまい。
推しから与えられたものは、きちんと返す。
相手がアイドルなどならそれが普通だし、できる。
千年の隔たりのおかげで、せいぜいよい論文を書き、『源氏物語』を布教すること
くらいしかできないと思っていたけど。
いまこうして目の前で生きてくれているなら――それだけで感謝以外の何ものでも
ないのだけど――何かをお返ししなくては。
さしあたっては……元気になろう。

弥生が肘をついて身体を起こそうとすると、紫式部がすぐに動いた。

「起き上がれますか」

と紫式部が、長い髪と背中に手を貸してくれる。

「あ、ありがとうございます」上体を起こした弥生は、あらためて紫式部をまじまじと見つめた。「紫式部、なのですよね」

「そうですよ。それともまだ具合が悪いですか。藤原道長さまか、北の方の鷹司殿にお願いしてご祈禱をいたしましょうか」

弥生はあらためて自分の手を調べ、顔と髪に触れ、着ているものに触れた。

藤原弥生という自分が、平安時代を生きる紫式部の親友、小少将の君になってしまったらしい。

けれども、どうして……。

そばで推しである「彼女」が固唾をのんでいる。

こんなにもしてくれた「彼女」を「親切な人」なんて他人行儀な言い方をしてはいけないよね。

推しが生きて触れるこの状況に、まだなれないけれど。

推しのほうばかり気持ちが行ったら、また熱が出そうだけど。

弥生はにっこり笑った。

「もうすっかり元気です。重ね重ねありがとうございます。紫式部」

その言葉に、紫式部が再び涙をこぼす。

「ほんとうによかった。あなたは普段から神仏を大切にしているから、そのご加護があったのね」

「心配かけてごめんなさい。『源氏物語』の執筆をすっかり遅らせてしまったのではありませんか」

弥生としても小少将としてもそれがもっとも気になった。

しかし、紫式部は引きつったような表情を隠すように、弥生から目をそらせる。

少し冷たい空気のなか、局にさしこむ日射しだけが熱く、明るい。

第一章　紫式部と小少将

病み上がりでまだぼーっとしているの、と言い訳して弥生は上体を起こしただけの格好で、頭の中をもう一度整理した。

どういうわけか自分は二十一世紀の日本から平安時代にやってきた。

いまは寛弘三年。ざっくり西暦に直すと、一〇〇六年くらいだ。

一条天皇と呼ばれることになる方が、今上天皇の時代だ。

弥生の意識は「小少将の君」と呼ばれる女性の肉体に宿っている。


「小少将、白湯を飲みますか」

と、そばについていてくれている紫式部が声をかけてくださった。

紫式部だよ⁉

『源氏物語』の作者が、自分ごときに白湯を用意してくれるなんて、申し訳なさに切腹しないといけないと思う。

はっ。

また取り乱した。

「ええ。お願い」

と、できるだけ「紫式部のお友達の小少将の君」を演じて、笑顔を作る。

紫式部がうれしそうにいそいそと出ていく。

ああ、行かないで。でも、わたしのためにそんなうれしそうな顔をしてくれて、ほんとごめんなさい。

……いまのうちに気を落ちつけて知識の整理をしよう。


小少将の君は上東門院小少将とも称される。

父親は源時通。「源」姓は、天皇の血筋の者が臣籍降下したときに授けられる姓のひとつ。小少将の君自身も曾祖父は宇多天皇の子・敦実親王であり、天皇の血を受け継いでいた。

叔母は鷹司殿とも称される源倫子。教科書でも有名な平安時代の最高権力者である藤原道長の正室である。

さらに道長と源倫子の娘が、一条天皇の后のひとりであり、中宮となった藤原彰子だ。

つまり、小少将たる弥生の立場は「藤原道長の義理の姪」であり、「中宮彰子と従姉妹」ということになる。

ただ、そのような血筋や家柄、立場などを振りかざす性格ではなかったようだ、とは二十一世紀の弥生の知識による分析だ。

現に、小少将は、女房たちのうち、中宮である彰子周りを常に固める上臈女房という位置づけにもかかわらず、それより一段下がる中臈女房の紫式部と深い友情を結んでいる。

紫式部との友情が、とても深い。

どのくらい深いかと言えば、それぞれ局という小さな部屋を与えられていたのに、あえてお互いの局を仕切っていた几帳を取り払ってしまってひとつの大きな局にして、一緒に過ごすほどだったとか。

几帳とは、現代的にはパーテーションにあたるのだろうが、丁字型の几に帷子という帳をかけ垂らしただけだから、カーテン一枚と言ったほうがいいだろうか。

それでも立派な仕切りである。

それすらもなくすほどに親密だったのだ。

紫式部は紫式部で、どちらかと言えば内向的な性格で――でなければ、『源氏物語』ほどの大作は書けないだろう――弥生の口から言うのも心苦しいが、友達は少なかったと思われる。

その数少ない友達のひとりが、「小少将の君」だった。

小柄で上品、雅でおっとりとしたかわいらしい性格だったらしく、紫式部は日記のなかで「恥ずかしがり屋」「意地悪な人に悪口を言われたらくよくよ悩んでそのまま心労で儚くなってしまうのではないか」と書いていた。

最後のところは弥生もその気があるが、そのほかはまったく違っている。

そんな自分がどうして「小少将の君」になった？

すぐに偽者（？）だとバレるのでは……？

紫式部が白湯を持って戻ってきた。

「さ。どうぞ」

と紫式部が器をくれる。

「か」

「か？」

「かたじけない……っ」

紫式部が吹き出した。

「ぷふ。その滝口の武士のような言葉遣いは何？　こんなときまで、わたしを元気づけようとしてくれているの？」

弥生は耳まで熱くなった。

「い、いえ。そういうわけでは」

もったいなさすぎて、言語がおかしくなっただけだった。

藤原弥生。本来ならばメガネで地味な文学部院生なのだが……。

とにかく、推しからの白湯を弥生は限りなくうやうやしく頂戴した。

「それにしても、目を覚ましてくれてよかった」

と紫式部が安心する横で、誰かがお見舞いにやってきていた。

「え？　え？　え？」

と弥生は慌てる。

紫式部が少し申し訳なさそうに、

「白湯を取りに行ったときに、何人かの女房にあなたが目を覚ましたと教えてしまったせいだと思う――」

ああ、紫式部を困らせてしまった。万死に値する大罪を犯してしまったのだ。

でも、ここで死んでもご迷惑をおかけするだけだろうからと、弥生は腹をくった。

「かまいません。十人でも百人でも千人でも受けて立ちます」

「そんなにたくさんの人は、この土御門第（つちみかどだい）にいませんよ？」

まず来たのが、叔母である鷹司殿、源倫子。

人物名は弥生の知識でもなんとかなるが、顔はわからない。けれども、「小少将の君」の記憶がちゃんとそれをフォローしてくれている。有り難し。

「宮中からこの土御門第に戻ってくるなり高熱で倒れ、三日間も眠り続けていたのですよ」

「ご心配をおかけしました。申し訳ございません」

と弥生は頭を下げた。

きれいな人だった。

家柄として、藤原道長が出世していこうとするときにぶつかりかねなかった道長の実父・摂政兼家(せっしょうかねいえ)を牽制(けんせい)できた唯一の存在だから、というのが結婚の理由のひとつだったのだが、道長はよい妻をもらったと思う。

土御門第というのは藤原道長の私邸だ。

平安京左京一条四坊十六町にあるが、もともとはこれも倫子、およびその父の持ち物だった。

倫子と結婚したことで道長の邸宅となり、いまから——この「いまから」は、平安時代の今日現在を指す——数年前に十五町まで拡充された。

一町は方四十丈(約一二〇メートル四方)だからたいへんなものである。

倫子は、この邸(やしき)の女主人にふさわしく、藤色の落ち着いた小袿を身につけていた。

薫香はあでやかで年相応の落ち着きと若々しさが不思議に同居している。

平安時代は香りの文化でもある。

衣服に焚きしめた薫香が人となりを表現するのだった。

ぱっと見た雰囲気としても、倫子は二歳年下の道長自身をもうまく御しているようだった。

倫子は姪である小少将……のような弥生の髪をなでながら、二言三言声をかけ、

「何かあったらすぐに呼びなさい。食べたいものや飲みたいものはありますか」と気遣いの言葉をくれた。

見た目は小少将なのだろうが、中身は赤の他人の弥生。

なんだか申し訳ない気持ちになって、弥生は「と、特に何も」と答えるばかり。

「こんなときまで奥ゆかしいのが小少将らしいですけど」

と紫式部が言う。

「さ、左様なことはござりませぬ⁉」

すっとんきょうな声が出た。

倫子がじっと弥生を見つめる。

いまの、怪しいよね……？

冷や汗が出る。

倫子はため息をついた。

「熱が下がったばかりで朦朧(もうろう)としているというのは、ほんとうのようね」

「はい」

と紫式部が同意する。

偽者とばれなかったのはありがたいが、うれしいような、悲しいような……。

「あなたはわたしの姪のなかでもことに身体が小さいから」

「ご迷惑をおかけいたしました」

「ふふ。紫式部がずっとかかりきりで看ていたのですから、必ずよくなると思っていました」

「ああ。それは――」

と紫式部に感謝と謝罪のまなざしを向けた。

紫式部が年下の少女のように頬を赤らめる。

倫子と紫式部は再従姉妹(またいとこ)の間柄だが、このようなところが紫式部の、それこそ「奥ゆかしいところ」なのだろう。

その様子を見て、倫子がからかうように言った。

「ふふふ。当代最高の物語書きがそばにいたのですから、病も悪鬼も逃げてしまったことでしょう」

紫式部は今度こそ真っ赤になって、口のなかでもごもごと何かを言って平伏した。

倫子と入れ替わりになるように、恰幅のいい男がやってきた。

藤原道長だ、と小少将の記憶が告げている。

たしかこの頃にはすでに左大臣という、朝廷の事実上の運営責任者になっていたはずだった。

傍らに控えている紫式部に促されて、弥生は慌てて扇で顔を隠す。

衵扇と呼ばれる、女性たちが男どもの視線から顔を隠すための武器だった。

「扇だけでは」と紫式部がばたばたと几帳を立てた。

ちょうど壁際にあったものである。

たしかに、病み上がりの布団の上で義理の叔父と対面するのはちょっと恥ずかしい。

ただ、その辺りは男の側も心得ているようで、この局のまえの廊下である簀子に座って、そこから声をかけてきた。

「倫子から、やっと目を覚ましたと聞いて、見舞いに来た。具合はどうだね？」

思ったより高い声だった。

ゆっくりした話し方だったが、たぶん元々の性格はもっと早口のような気がする。

挨拶を交わして少し話してみると、言葉の端々に急かすような気配があった。権力者として自律してきたのだろう。

几帳の隙間からちらりと覗いてみる。

権力を持った中年の男相応に自信が溢れていた。眉は太いが、目は細い。肌の色は少し日焼けしたような印象を受ける。

へえ。これが藤原道長なんだ。

心のなかで感心する。

いわゆる「お公家さん」めいた顔をしていて、絵巻物に書かれる顔とそんなに違っていない。あれは結構真実を捉えて描かれていたのだな……。

「もうすっかり元気です」

言葉の選び方は〝小少将〟になっているだろうか。心配だがどうしようもない。

だが、道長は特に気になっていないようだ。

「そうか。それはよかった。まあ、宮中は疲れるからな。小さな身体でよくやってくれている」

「畏れ入ります」

「おぬしが倒れたこの三日間というもの、紫式部が生きた心地もしないとばかりに弱り果てていてな。まるで『源氏物語』の執筆が進んでいないようだったよ」

「左様でございましたか」

やっぱり万死に値する大罪を犯してしまったらしい。

道長はひと息つくように息を漏らし、

「いや、これで紫式部も安心して物語が書けるだろう。ははは。主上もお好きのような『源氏物語』をいち早く読んでいただこうと、紫式部を招聘したのに、肝心の紫式部が一文字も書かないのでは、わたしの面目も丸つぶれだったからな」

「ご迷惑をおかけしました」

と几帳越しに頭を下げる。

病気で倒れた自分が謝りっぱなしというのは、塾講師のバイトを風邪で休んだときと変わらない。

千年以上まえからこういうものなのかと思うと、おかしくなる。

大学院で、教授たちから研究内容について八つ裂きにされるつらさと比べれば、なんてことはないのだけど。

ふと見れば、紫式部が隅のほうで小さくなっていた。

ああ、紫式部はこんな仕草をするのか。

なんとなくイメージどおりで、うれしい。

「すっかり元どおりのようだな」

と道長が笑っていると、不意に紫式部が声を発した。

「畏れながら、小少将の君は熱が下がって目を覚ましたばかり。この三日間、生死の境をさまよっていたようなものです。それを思えばまだまだ予断を許さない有り様にあります。もう少し、そばについていてあげたいと思っています」

道長は笑いを止めた。

「――ふむ。入れ違いに見舞いに来た鷹司殿もそんなことを言っていたな」

「左様でございましょう」

「そういうものなのだろうな。まあ、小少将は鷹司殿の姪とはいえ、身体も一回り小さいし、無理は禁物だからな」

「はい」

と紫式部がうつむき加減に相づちを打つ。

「けど、紫式部よ……。なんだ」

紫式部に対し奉り「なんだ」とはなんだと言ってやりたい。

けれども、紫式部自身は鷹揚に「はい？」と受け答えしているので、許してやろう。

「はい、じゃなくてだな。ほら」

「はあ」

道長が焦らされてイライラした。

「あれだよ、あれ。『源氏物語』」

「あれがどうかなさいましたか」

「だから……わたしも先が早く読みたいのだよ」

「左大臣ともあろうお方が」

と思わず弥生がつぶやいてしまった。

道長、それを聞き逃さない。

「左大臣だろうとだなんだろうと、読みたいものは読みたいのだよ」

先に軽く触れたが、左大臣とは朝廷の最高機関である太政官（だいじょうかん）の、事実上の長である。

さらに上には太政大臣がいるが名誉職の意味合いが強い。

律令という国法で定められた役職としては実務上の長だから、わかりやすく言えば内閣総理大臣に匹敵する。

ちなみに、摂政や関白というのは律令に定められていない「令外（りょうげ）の官（かん）」である。

その内閣総理大臣相当の道長が『源氏物語』の続きを催促しているのだが、紫式部は存外そっけなかった。

「もう少しお待ちください」

几帳の隙間から見ると、道長がおもちゃのお預けをくらった子供のように、悲しい目をしている。

そのあと多少の世間話をして道長は足早に去っていった。

道長を軽くあしらう紫式部——さすがわたしの推しである。

また入れ替わりで人が来た。

「紫式部、ずいぶん妹がご迷惑をおかけしました」

やわらかな女性の声だ。

几帳をどうにかしようとしていた紫式部の声が華やいだ。

「ああ、大納言の君」

その名に〝小少将〟の頭が反応した。

大納言の君は、小少将の君の姉だ。

「姉さま」

と弥生が呼びかけると、大納言が几帳の横からひょっこり顔をのぞかせた。

「小少将。よかった。姉もずいぶん心配したのですよ？」

「ごめんなさい」

大納言は声と同じくやさしい顔立ちだった。

髪はたっぷりしていてつややか。いわゆる烏の濡れ羽色という髪色だった。

目元は少し涼やかな印象を与えるが、叔母である倫子に似ているといえば納得できる。

「大」納言などと呼ばれているが、身体は小さい。

少納言と一緒くらいだろう。

頬はやわらかそうで、大人の女性にもまだ年若い姫にもどちらにでも見えた。

姉がこうなのだから、妹である自分はもっと幼く頼りなく見えるのだろうなと思う。

ますます地味な「藤原弥生」とかけ離れているではないか。

大納言は、小少将と共に彰子に仕える女房仲間でもあり、紫式部の数少ない親友のひとりでもあった。

そこへさらにもうひとり、少し年上の女性の声が交じった。

「あら、小少将の君がお目覚めになったと聞いてお見舞いに来たのですが、これではかえってご迷惑だったかしら」

「あ、赤染衛門さま……」

と紫式部の声が少し小さくなった。

「え。赤染衛門⁉」

思い切り呼び捨てになってしまって、みなが白い目でこちらを見た。

しまった、と弥生は冷や汗がにじむ。

当の赤染衛門は「あらあら」と笑っていた。

とはいえ、紫式部ほどではないが(偏見)、古典文学史上、この時代を代表する人物がもうひとり現れたのだ。

赤染衛門。道長が娘である彰子の女房たちに知的な彩りを与えようと、紫式部とともに後宮に呼び寄せた女房である。

赤染衛門は彰子に仕える女房仲間ではあるが、年は彼女のほうがずいぶん上だった。彰子が入内するまえから倫子に仕えていた女房であり、詳しく言えば倫子の父に仕えていた女房だったから、大先輩と言ってよかった。

それは、紫式部の声もやや小さくなるだろう。

「とんでもないことでございます。お見苦しい格好ですが、お入りくださいませ」

赤染衛門が几帳のこちら側にやってきた。笑うとなくなってしまうような細い目、博識そうな額と豊かな丸顔が印象的だった。

すでに四十半ばの年齢ながら、いつも清げでさっぱりしている。

同時に年相応の落ち着きもあって、男女を問わず宮中で顔が広い。

知り合いが多いとそれを何かしらに利用しようとする人もいるが、赤染衛門にはそういうところはなかった。

「ああ。紫式部。あれだけの物語を書いていながら、友人の小少将を細やかに看病されていて、やはりほんとうの物語をお書きになる方は違うものだと、敬服していたのです」

「いいえ。と、とんでもないことでございます……」

「わたしも多少、歌も物語も書きますからわかりますが、物語を書くための心の集中を維持しながら女房勤めをするだけでも至難の業。ましてや病気の小少将の身を案じ続けるなど、生半（なまなか）なことではありませんよ」

「た、大切な友達ですから……」

ますます紫式部の声が小さくなっていく。

赤染衛門の接し方は変わらない。

「おやさしいことです」と赤染衛門が感銘を受けたのか、小さく目元を押さえた。

「紫式部さまこそ、お身体を悪くなさいませぬように。いま宮中であれほど話題になる物語を書ける方はあなたさま以外にいないのですから」

「は、はい……」

紫式部の声がどんどん小さくなっていったのは単に大先輩への畏敬の念がそうさせただけで、別にやましいところがあったわけではないと思う。

普通なら怪訝に思ってもおかしくないほどなのだが、赤染衛門はすでに「そういうものだ」とわかっているようだった。

倫子といい道長といい、さらに赤染衛門まで、紫式部とその物語を手放しで称賛している。

弥生は楽しくなって思わず口を挟んだ。

「そうですよね。紫式部の『源氏物語』こそ不朽の名作として千年以上のちにまで伝わる物語ですものね」

紫式部がぎょっとした顔になった。

「小少将、何を言っているのですか。まだ熱があるのではありませんか」

そうではないのだが、そうかもしれない。

千年以上のちにまで伝わるなどというのは、未来を知っている弥生の言葉だ。小少将の言葉ではない。

「まあまあ。小少将さまは『源氏物語』がお好きでいらっしゃいますのね」

赤染衛門が笑う。気立てのいいご婦人、という感じだった。

もう少し年数がたってからの話だが、赤染衛門は『栄花物語』全四十巻のうち、正編三十巻を書くことになる。

道長の見込んだとおり、紫式部と並ぶほどの才女だった。

紫式部の『源氏物語』がほぼ作者の頭のなかで構築された〝作り話〟としての物語だとすれば、赤染衛門の『栄花物語』は宇多天皇から堀河天皇治世の寛治六年までの約二百年間の歴史物語である。

物語である以上、誇張もあれば無視したところもあるだろうが、それは二十一世紀の社会派小説の書き方に近いかも知れない。弥生は、赤染衛門を山崎豊子先生のような仕事をした人だと頭のなかで整理していた。

ともあれ、局のなかが華やかになった。

大納言が姉らしく弥生に控えめに小言を言い、赤染衛門が年上の女性らしくなだめる。大納言と弥生が声を合わせて笑い、赤染衛門もそっと微笑んだ。

「もう冬になって木の葉も少しずつ落ちてきましたね」

平安時代は春夏秋冬を三カ月ごとにきれいに区切っていた。

一月から三月が春。

四月から六月が夏。

七月から九月が秋。

十月から十二月は冬。

これらの区切りは当然ながら旧暦――太陰暦で考える。

いまは十月初めだった、と小少将の記憶を読み解く。

閏ができてしまうので機械的に計算するのは難しかったが、太陽暦に直せばざっくり十一月。こちらがいま旧暦の十月初めだとしたら、弥生がひとり暮らしのアパートで人事不省に陥った十一月一日とほぼ対応している。

古典の日に古典に紛れ込みました。

……笑い話にもならない。

「明後日は玄猪。内蔵寮から、万病を祓うという亥の子餅をいただけますから、もう小少将も風邪など引かないですむでしょう」

語り、笑いあうたびにそれぞれの薫香が香る。

衣擦れの音がして、日の光に唐衣があでやかな色を見せた。

〝弥生〟としては初対面なのだが〝小少将〟は知り合い。

向こうはこちらをよく知っている。

弥生は、自分は初めてなのに、共通の友達のおかげで最初から溶け込んでいる集いにいるような感覚だった。

そのなかにあって、紫式部だけがどこか距離を取っている。

「病み上がりに、あまりおしゃべりをしてはよろしくないですね」

と赤染衛門が配慮してくれた。

「畏れ入ります」

と弥生は小さく頭を下げる。

病み上がりの体調よりも、この状況の整理に頭のなかが一杯いっぱいなのだけど。

とにかく、気を遣ってくれた赤染衛門が局からさっといなくなった。

お見舞いはきちんとするけど、引き際を心得ている。

単なる才女というだけではなく、そのあたりの呼吸もよくわかっているようだ。

だからこそ、長年、女房を務められたのだろうな。

赤染衛門がいなくなると、紫式部がまたにじり寄ってきた。

「あの方は匡衡衛門（まさひらえもん）ともあだ名されるほどの良妻ぶりの方で、歌も格調高い。こういうときにもごくさりげなく気遣いのできるところはすてきですね」

弥生は笑いを堪（こら）えるのに苦労していた。

紫式部が、赤染衛門本人がいなくなった途端に饒舌（じょうぜつ）になるのがおかしかったのだ。

それも本人へのほめ言葉を、当人がいなくなってから初めて口にしているのが、おかしい。

やはり自分にちょっと似ていると思った。

面と向かって褒めるのは、どこか気恥ずかしいよね。

弥生の心のなかにある紫式部は、宮中で文机（ふづくえ）にかじりつき、淡々と筆を動かすさまを想像していた。

たぶんその姿が彼女の真骨頂なのかも知れないし、その姿こそ見たい。

けれども、こうした等身大の姿を見ているのも新鮮だった。

「少し、また横になったほうがいいのでは」

と紫式部が弥生を覗き込むようにする。

「あまり横になっていてはそれこそ見苦しいというものでしょ？　幸い、今日はすでに十月になって冬になったとはいえ日射しが暖かいのですから、もう少し起きています」

もう少しみんなの様子を観察したい。

平安世界に入り込んでしまったのは、もはや受け入れるしかないというか、諦めるしかない。

仕方がないことは、悩んだぶんだけ損。

いじめから復活したときに掴んだ考えだ。

悩むより、受け入れて楽しもう。

なによりも推しの紫式部がいるのだ。

念願だった平安時代の装束を着るオフ会に出たと思って、いや世に言うアイドルや声優のディナーショーとかオフ会とかそういうのに出たと思って、感謝して息をしよう。

「三人で何もしないというのも手持ち無沙汰ね」

と姉の大納言が頰に手をやった。

そんなことはない。

紫式部を愛でています。

スマホがないのがとても悔しい。

あれば激写しまくっているのに。

とはいえ、大納言の言葉にも一理ある。

ゆっくりした時間。

紫式部独り占め。

それを維持しながら何かするならこれしかないと、弥生は顔を輝かせた。

「紫式部さまの物語をぜひ――」

ところがみなまで言わせず、つまりは多少食い気味で紫式部が朗らかな声を発する。

「せっかくですから、韻ふたぎでもしましょう」

韻ふたぎというのは、当時の教養である漢詩への理解を前提とした遊戯だった。

漢詩につきものの韻字を隠しておき、音と意味の両面から韻字を当てる。

風流な遊びとして男女問わず興じられていた。

『源氏物語』でも源氏の父の桐壺帝が崩御し、源氏が密(ひそ)かに慕っていた義母の藤壺(ふじつぼ)が
その一周忌に出家してしまい、政治的にも心情的にも自らの支えを失った源氏が、親
友の頭中将と無聊(ぶりょう)を慰めるために韻ふたぎをする場面がある。

「韻ふたぎですか」と弥生は怯(ひる)んだ。

「小少将、得意でしょ?」

漢詩の知識など、と焦ったが、頭のなかは変にすっきりしている。

なるほど。「小少将」は得意なのか。

ならばその記憶を信じよう――。

結論から言うと、弥生としては初めての韻ふたぎを、難なく楽しんだ。

その場になると漢詩および漢字の知識が出てくるのだ。

まるで「いまは英語の試験だから英語の知識を取り出そう」というのに似ていた。

順位も二位。

圧勝してしまって嫉妬を買ったりせず、可もなく不可もなく。

よい位置だったと思う。

しかし、熱が下がったばかりの遊びにしては、かなり頭を使ったような。

韻ふたぎを終えると、ちょっとくらくらする。

「少し疲れました」

と弥生は横になった。

紫式部が青い顔になった。

「ああ、ごめんなさい。小少将がちょっとでも元気になったのがうれしくて、つい」

「大丈夫です」弥生は微笑む。熱は上がっていないと思う。だから、もう一度お願いしてみた。「あのぉ。眠るまでのあいだ、物語を読み聞かせてくれませんか」

今度は言えた。
けれども、もしかしたら言えないほうがよかったかもしれない。
紫式部は、絞り出すような声でこう言ったのだ。

「物語なんて、わたしは大嫌いです」と。

平安時代の邸は静かだが、物音がしないという意味ではない。
現代のように自動車や電子機器の音はしないが、そのぶん他の音がよく聞こえる。
鳥の声、水の流れる音、遠くの人の足音や話し声。
それに——目の前にいる紫式部の、荒い息の音。
「紫式部、いまなんて……？」
目だけ動かすと、大納言がそっと顔を伏せている。
もっと早く気づくべきだった。
紫式部から薫香は立っているが、墨の匂いがしていない。
ここは紫式部と弥生、つまり小少将が使ってる二人でひとつの部屋。
局の様子は丸見えだ。
奥の文机の上には文箱が置かれているが、文字を書く紙も、その代わりの木簡もないし、筆もしまわれている。

紫式部はいま筆を執っていない……。


一日がたち、二日がたった。

弥生はまだ寝たり起きたりをしていた。

もうほとんど健康だ。

韻ふたぎをしたり、熱くならない範囲で碁を打ったりした。

手すさびに歌も詠んだ。

歌を詠むなんて初めてだったけど、小少将の頭脳が勝手に動いてくれたようだ。

紫式部から「さすが小少将。いつもどおりのやさしい歌ですね」と褒められたときは、熱が上がったけど。

その間、基本的にずっと紫式部は一緒にいてくれた。

最高しかない。

ぼちぼち身体もよくなった。女房勤めにも近々戻るだろう。よい日取りを陰陽師(おんみょうじ)に占ってもらっていると、大納言が言っていた。

「え。あ。え」

と弥生が大納言に言葉にならない言葉を投げかける。

「どうかしました？」

「あ。いえ……」

推しとの日々が惜しいので、この生活を捨てたくありません——なんて言えない。

この時代、女性が働くとしたら女房勤めが一般的だった。

女房勤めのなかでもっともうらやまれ、実入りもよかったのは、言うまでもなく天皇やその后に仕える女房。

いまをときめく藤原道長の娘である中宮・彰子に仕える女房となれば、「できることなら代わってほしい」と引く手あまたの勤め先なのだ。

父を失った大納言の君と自分の姉妹だが、血縁によって最上級の働き口である彰子付き女房をさせてもらっている。

その女房のなかでも、もっとも序列が高い「上臈女房」という、四六時中、彰子のそばにいて話し相手になるのが仕事という位置にいるのだ。

余談だが、大納言にいたっては夫も亡くしている。

父を亡くしたせいで、従姉妹の彰子の女房になっているのは運命の皮肉みたいなところは、ある。

つまり、もしかしてもしかしていたら、大納言や自分のほうが后となり、道長の娘を自分の女房にしていたかもしれないのだ。

もともとの「小少将」がどう考えていたかはわからないが、弥生としては女房であってよかったと思っている。

そうでなければ、紫式部と一日中一緒にいられるなんて夢のような体験ができなかったからだ。女房ばんざい。

話が脱線した。

もとにもどせば、要するにぼちぼち仕事に復帰しなければいけないのは、仕方がないのだ……。

大納言が局から出ていくと、弥生は空を見上げてため息をついた。

旧暦十月の空は、高い。

青空が眩（まぶ）しいほどかと思えば、細かな雲が空を覆い、天蓋のように包み込む。

弥生は空の雲を見つめて、「鰯雲（いわしぐも）」と思った。

平安時代にはなんと呼ぶのだろう……。

「小少将、いま何か言いました？　いわし……？」

と紫式部が話しかけてきた。

「あ、いいえ――」

どうやら言葉になってしまっていたらしい。

「鰯が食べたいのですか？　まあ、あまり上品な食べ物ではないとされていますが、たしかにあれはおいしいですし、元気になります」

弥生は、あることを思い出して小さく微笑んだ。

「ふふ。そういえば紫式部も鰯がお好きでしたね。昔、どうしても食べたくなって、干した鰯をこっそり邸の局で焼いて食べたとか」

紫式部がさっと赤面した。

「よくそんなことを覚えていますね」

「ええ」

推しのことなら何でも、と言いたいが、さすがに絶対引かれると思うので、今度こそ黙っている。

「……あれはまだ、わたしの夫だった山城守（やましろのかみ）・藤原宣孝（のぶたか）が生きていた頃の話ですね。内緒で食べたつもりだったのですが、鰯はひどく煙が立ち、匂いが残ります」

食べた紫式部は気づかないが、外出先から帰ってきた夫にすぐバレて笑われたという話だ。

夫の宣孝は、紫式部より二十歳も年上であり、紫式部は四番目の妻だった。

ふたりのあいだには娘が生まれたが、紫式部が出仕しているので実家で育てられている。

宣孝は結婚してわずか三年で、死んでしまったからだった。

その悲しみから立ち直ろうともがいて、紫式部は『源氏物語』を書き始め、それを見出(みいだ)されて彰子に出仕する――。

「けれども、焼いた鰯、おいしいですよね」

「ええ。脂がのっていて、身がほろほろとしていて……」

弥生は生唾をのみ込んだ。

「紫式部の話を聞いていたら、鰯が食べたくなりました」

「ふふ。でもここは土御門第――左大臣・藤原道長さまの邸ですからね。局で焼いて、鰯の匂いをぷんぷんさせるわけにもいきませんし」

「まあ。でしたらふたりでくさい仲になってしまいましょう？」

弥生の口がすべって、悪魔の誘惑をささやいてしまう。

紫式部が少し目を見張った。

「……小少将、倒れるまえといまとでは、少し人が変わりました？」

「え？　そんなことは……」

目が泳ぐ。

紫式部の顔を直視できない。

冷や汗が出た。

「あらあら。いとをかし」

「え？」

「冗談ですよ」

「あ。そ、そうですよね。ふふ。もう、紫式部ったら」

と、どさくさに紛れて紫式部の膝を軽く小突く。

「まあ」と紫式部が目を見張る。「こんな反撃をするなんて」

「紫式部が意地悪を言うからです」

大正解なのだけど。

「あらあら。ごめんなさい。――でも、そうですね。少し力のつくものを膳にのせてもらいましょう」

風が清げに吹く。

平安の女房たちの髪は長すぎて、風になびいたりしない。

紫式部という、弥生にとって時空を超えた〝推し〟が、自分の面倒を何くれとなく看てくれるのは夢みたいだとか僥倖（ぎょうこう）だとかを通り越して、ただただ申し訳ない。

元気になったら、やはり腹を切ってお詫（わ）びをすべきだろうか。

本末転倒なのだが、そのくらいとんでもない状況にある。

だけど。

弥生の心のなかにある疑問が、はち切れそうになっている。

その疑問は、もしかしたらこの状況を破壊してしまうだろう。

紫式部に嫌われてしまうかもしれない。

でも、質問しなければいけない。

その想いが先日、文机の様子を確認して以来、ずっと渦巻いていた。

弥生が、かすれた声で呼びかける。

「紫式部――」

「はい？」

と紫式部が微笑んだ。

弥生の口のなかがすっかり乾いている。

水が飲みたい。

しかし、手近なところに水はない。

頼めば紫式部は取ってきてくれるだろう。

その水と引き換えに、弥生はきっとまた「心のなかの疑問」を先送りにしてしまう予感があった。

でも、もうそんなことをしてはいけないのだ。

紫式部をほんとうに推しとしているなら。

弥生は咳払いして喉を励ました。

「どうして『源氏物語』の執筆をやめているのですか」

その瞬間、紫式部の笑顔が氷のようになった。

色白の肌は、青を通り越して黒ずむほどになっている。

ああ、言ってしまった。

けれども、そこから目を背け続けて「紫式部」はありえないはずだ。

嫌われたかもしれないけど、嫌な気持ちにさせたかもしれないけど。

でも——。

「それは……いまだけのことです」

紫式部はのろのろと答えた。

「ほんとうですか」

「ええ」と紫式部は笑ってみせた。

明らかに無理やりな笑顔の作り方。

いじめられていた頃の自分を思い出す。

紫式部のこんな笑顔を見たかったわけじゃないのに。

何を言っていいかわからなくて弥生が黙っていると、紫式部が慌てたように言葉を発した。

「そんな顔しないでも大丈夫です。もともとわたしは『源氏物語』を書き続けることを条件に中宮彰子さまにお仕えする身ですから」

紫式部の目は、まだ暗いままだ。

弥生が考えるよりもはるかに深い原因がありそうだった。

「…………」

「書くためにはいろいろと考えなければいけないこともありますし、それにいまは小少将の付き添いもありますし」

弥生の胸の内側を何かが激しく揺さぶった。

「わたしのせいであなたの物語が止まっているなら、とてもつらいです。それならば、どうぞ付き添いなどおやめになってください」

胸の動揺は涙腺をも揺らしている。

紫式部まで泣きそうな顔になった。

「小少将、そんなこと言わないでください」

「いまどのあたりを書いているのですか」

「いま――」

今度は紫式部が沈黙する番だった。

やがて彼女は静かに首を横に振る。何も書いていない、というのか。

「紫式部……」

〝弥生〟の知識を振り返る。

いまは、『源氏物語』成立史のどのあたりなのだろう。

令和の世にも残っている『源氏物語』だが、実は細かな執筆背景などはわかっていない。

もっとも基本的な「いつ書かれたのか」ということさえも、正確なところは――千年前には奥付なんてなかったから――わかっていないのだ。

そのせいで、一般的には『源氏物語』の作者は紫式部とされているのだが、「女にこれほどの物語が書けただろうか」という極めて男尊女卑な説を口にする人もいた。

そこまで行かなくても、主題の深化や細かな文法上の差異などから、源氏の子や孫の世代に話が移る「宇治十帖」と呼ばれるところは、紫式部ではなく、彼女の娘の賢子（のちの大弐三位）が書いたのではないかという説もあった。

弥生自身はと言えば、『源氏物語』全五十四帖はすべて紫式部ひとりによるものだと考えている。

なるほど、「宇治十帖」ではそれまでの物語と比べて主題もより深くなっているし、若干の文法の違いもあるけれど、長く作家活動をやっている人が書きながらさらに追いかけたい次の主題を見つけて追求していくことはままある。

書き方も、そのときどきの流行り廃りを考慮するだろうし、主題に引っぱられたり、作者自身の成熟に左右されたりもする。

弥生が頭のなかの資料をひっくり返していると、紫式部がのろのろと語り始めた。

「夫の宣孝が亡くなって、わたしは悲しかったのです。——自分でもびっくりするほどに」

「そんなに……」

「二十歳も年上の、夫と言うより父のような宣孝の、わたしは四番目の妻でしかない。妻問の足もさほど多くはなく——ふふ、だから鰯をうっかり焼いたりしていたのですけど——たった三年だけの夫婦。けれども、宣孝がいなくなってわたしはすっかり心に穴が開いてしまったのです」

宣孝が残していった娘の賢子はかわいい。

けれども、それ以外には何もなくて。

何を見ても味気なく。

あるいは、何を見てもあの人が思い出されて。

楽しみだった季節の花々も、移り変わる緑の力強さも、紅葉の絢爛さも、雪に閉ざされた都の張り詰めた美しさも、何を見ても涙がこぼれるばかり。

世の中には、夫を亡くしたあと、新しい恋を目指す人もいるという。

さみしいのだろうという気持ちはわかる。

だが、紫式部は新しい恋を選ぶ気持ちにはなれなかった。


娘の賢子のためにも、生きなければいけない。

しかし、死別の悲しみがこれほどに大きなものだとは――。

ほんの何気ないやりとり、気の置けない会話、ともに笑い、ともに飲んだり食べたりする。

そんなささやかなところに、こんなにも人間の幸せがあったとは。

紫式部は、深く深く自分の内側に入り込んでいった。

入り込むほどに、心は窒息しそうになりながら。


「そこからどうやって、戻ってきたのですか」

紫式部が小さく洟を啜っている。

「――歌集をたくさん読んだ。仏典も教わった。漢籍にも手を伸ばした。でも、わたしの心はますます息の仕方を忘れていくようで」

苦しみもがく日々のなか、ふと思い出した。
幼い頃の思い出だ。
弟の藤原惟規（のぶのり）が、父である藤原為時（ためとき）の手習いを受けている。
漢籍だ。
この時代、文芸としてもっとも格が高かったのは漢詩である。
ただしこれは原則として男にのみ許された世界だ。
女はまず歌。
次いで日記。
物語はもっとも格下の創作物とされていた。

その、もっとも格のある漢籍を父が弟に伝授している。
父の為時は漢籍を読み、折々に漢詩を作ることを学ぶ紀伝道で身を立てていた。
父にしてみれば、漢籍を読むのは家業であり、弟への伝授は当然の行いだ。
ところが、惟規は愚鈍とまで言ってはかわいそうだが、頭の回転がよくなかった。
教えても教えても、頭に残らないようなのだ。

使っていたのは『史記』——司馬遷編纂の歴史書である。漢籍の教養はただ読めるだけでは足りず、暗誦を伴うのだが、弟にはそれがどうしてもできないらしかった。


もどかしく思ったのは父の為時だけではない。

紫式部も、弟の姿にまどろっこしいなと思った。

それで、紫式部はその箇所を諳んじてみせたのである。

覚えようとして覚えたわけではない。

何度も手習いを聞いているうちに勝手に覚えたのだ。


父は驚いた。

「残念だ。おまえが男の子でなかったのが、わたしの運のないことよ」

褒められると思っていた紫式部は、複雑な気持ちになった。

父から発された言葉が、紫式部への「すばらしい」という台詞でも、弟への「あのように精進せよ」でもなく、父自らの不運を嘆く言葉だったからだ。

この一件は間違いなく紫式部の心を呪縛した。

呪縛しながらも、紫式部が「そうであらざるをえない何者か」を暗示していた。

「そうであらざるをえない何者か……」

と弥生は繰り返した。

「そうでなければいけない何者か、あるいは放っておいてもそうなってしまう何者か、と言ってもいいかもしれません」

弥生にはわかる。

紫式部は知と創作の世界に生きなければいけない人間なのだ。

「そのことについて、紫式部はどのように考えたのですか」

すると紫式部は大きくため息をついた。

「わたしは、何かを書きたいと思ったのです」

弥生が大きくうなずく。「それで物語に……？」

「漢籍は男の世界です。もちろん、高内侍（こうのないし）さまのような方もいらっしゃいますが、わたしにはとても……」

高内侍とは高階貴子（たかしなのきし）の女官名だった。

貴子こそは初の本格女性漢詩人にして、亡くなった皇后宮・定子の母である。

貴子の父も、為時と同じく漢詩に通じていた。

いや、為時以上だったかもしれない。

同時に、その人格においても為時以上の変わり者だった。

何しろ、娘の教育に徹底して自らの漢学を授与したのである。

女だからといって、男に頼りきりの人生を生きてよいわけではない。結婚なんてしなくていい。漢学を身につけ、教養を深め、ひとりで独立して生きていけ――。

そのように激しく教育を受けた貴子は、父の願いに応えるように、自らの才能をもって後宮女官として内裏に入ったのである。

彼女の知識と教養は時の円融天皇に認められるところとなり、異例の抜擢を受けた。

さらに、その潔いばかりの才媛ぶりに藤原道隆が惚れ込んだ。結果、「女だからと結婚に寄りかかった生き方などしなくていい」と教育され、そのように生きてきた彼女の産んだ娘が一条天皇の后・定子となるのだから、物事はなかなか一筋縄ではいかないものだった。

「紫式部なら漢詩もいけたと思いますけど」

と、弥生が素直な感想を口にする。

とはいえ、紫式部が高階貴子のようになれたかと言えば、申し訳ないが難しかったと思う。

性格が違いすぎる。

漢学ができることに対する父の落胆という幼児体験が先か、彼女の性格が先かは議論のわかれるところかもしれないけど、「男だろうと女だろうと、ただ才能だけではかられるのだ」と邁進しきれる貴子の強さは、紫式部にはない。

紫式部はもっと内向的な人物だ。

では、その性格的なところをクリアして、紫式部が高階貴子ばりに活躍していたらどうだったかと言えば、たぶんだが『源氏物語』は執筆されなかっただろう。

気の利いた歌や教養のきらめきを示す漢詩はいくらでも繰り出せても、そのようなことをやっていては、五十四帖ともなる長大な物語を創造し、支配し、まとめ上げるのはおそらく難しい。

小さな作品で小出しに力を漏らしていたら、二十一世紀的比喩で言うなら宇宙戦艦の波動砲のような巨大な力は出せないだろう。

やはり、紫式部は紫式部であってよいのだ。

「ありがとう」と紫式部がかすかに微笑んだ。「でも、わたしは自分がそんな才能があるとは思っていなかった。それにわたしの周りには――これは実家にいた頃のわたしです――漢詩について語り合えるような友達はいませんでしたから」

「ああ、なるほど……」

未来ならネットやSNSがあるが、平安時代にはない。

自分の推しと趣味を追求したくても、同好の士が身近にいなければごくささやかな活動しかできない。

弥生だって、もし大学院で研究する道が許されず、しかもネットもなければ、紫式部ラブ、平安時代ラブといっても誰かとつながれたかどうか。

もしかしたら、公民館でたまに開かれる、シニア層向けの「古典を読む集い」みたいなのに顔を出せればよかったくらいかもしれないのだ。

たぶんというか、絶対、一度顔を出してあとは通わなくなる自信がある。

同好の士がいるのは、とても有り難いことなのだ。

紫式部が続けた。

「けれども物語なら、ともに語り合える人がいたのです」

もっとも格が低いとされた物語だが、理由はそれが〝嘘〟――つまり絵空事だからだ。

けれども、それゆえ娯楽としてはおもしろい。

気軽に読める物語は、現実に縛られない豊かさがあった。

「物語が、あなたの心を助けてくれたのですね」

と弥生が言うと、紫式部が小さくはにかむようにした。

「わたしなんて、世間のなかでは取るに足らない小さな人間だというのはわかっていますか。けれども、物語に同じような感想を持ってくれた人と手紙をやりとりし、少し疎遠な方とも物語が間にあれば手紙を交わせる自分を見つけたとき——わたしの心はやっと息ができたのです」


そんな友達同士で物語を書き合っては回し読みするようになった。

誰に迷惑をかけるわけでもない。

実家で幼い娘を育てながら、その合間に、なんの気なしに紫式部は筆をとってみた。

いままで読んできた漢籍や歌集や日記や物語。

それらの好きな場面。

気に入ったやりとり。

感動した一節。

心を動かされた台詞。

それらを思い浮かべ、反芻し、その上澄みをすくって心のなかに貯めていく。

やがてそれらの上澄みが互いに結びつき合い、補い合い、さらに言い足りないところに胸の奥から言葉が湧いてくる。

そんなふうに書いてみた「物語」を友達に見せてみたら、予想外に褒められた。

「いとをかし」

「いとあはれ」

いろいろな感想があって、自分が予想もしなかった読み方にも気づかされて。

紫式部は物語が――ただ読むだけではなく、自分も書いてみるのが――楽しくなってきた。

ひねもす空を見つめ、緑を見つめ、川を眺めて、物語を綴（つづ）っていった。

その物語がまた感想をもらって、また書いて……。

そんな繰り返しのなかからできあがったのが、「桐壺」――『源氏物語』第一帖だった。


「そんなことがあったのですね」

弥生は感動を通り越して、酩酊（めいてい）に近くなっていた。

推したる紫式部本人から『源氏物語』執筆の裏事情を教えてもらっているのだ。

論文にまとめたい。

けれども、出典が明記できない。

「本人から聞きました」では論文として認められない……。

それにしても。

自分が書いた物語を誰かが喜んでくれる快感、すっごくよくわかる。

弥生も大学生四年の夏休みに、同じゼミの子と文学フリマに同人誌を出してみたことがある。

当然ながら執筆経験はなかった。

唯一の例外は、高校時代の国語の授業でおなじみの「芥川龍之介（あくたがわりゅうのすけ）『羅生門（らしょうもん）』の後日談を考えてみよ」という課題くらいである。

ちなみに、その同人誌に弥生が書いたのは『源氏物語』の二次創作で、紫の上と源氏のなにげない一日を描いたもの。

コピー本で二十部。どきどきしながら店番をして一日目は十部、二日目は七部売れた。

売れたのもうれしかったけど、それ以上にうれしいことがあった。

一日目に買ったお客さんが二日目にやってきて「やさしい文章で、よかったです」と言ってくれたのだ。

うれしくて、思わず同じゼミの子と一緒に泣いた。

紫式部ほどの大作家でも、そういう経験が執筆の原動力になっていたのかと思うと、千年の距離を超えてまたひとつ心が近づいた気がする。

なおさら推せてしまう……。

「『桐壺』を書き上げて、評判になって。仲間内で楽しんでもらおうと思って書いたのに、わたしの手を離れてしまって。それを嫌だなどと言ってしまったら、いろいろな人に怒られるかもしれませんけど」

「ご実家で静かに物語や書物に囲まれていた生活から、左大臣道長さまに招聘されたのですね」

「ええ。けれども」

紫式部がうなだれる。

「けれども？」

「書きたいこと、あのなかにぜんぶ書いてしまった気がするのです」

「『桐壺』に？」

「はい。書き尽くしてしまった。そんな気持ちなのです」

弥生の思考が停止した。

嘘だ、と言いたかった。

あなたはこれからあと五十三帖も書くことが残っていると言いたかった。

けれども――。

紫式部の表情には嘘も偽りもない。

むしろある種の達成感と、物語への真摯な態度がうかがえた。

「書き、尽くした……?」

庭の遣り水の音の向こうで、客が来たと取り次ぐ声がかすかに聞こえる。

今夜、この土御門第では宴が張られるのだろう。

そんな慌ただしさも高揚感も、紫式部と弥生とこの局には無縁のように思えた。

＊　＊　＊

翌日、土御門第は雨だった。

昨夜の宴は、誰が来ていたかわからないが、だいぶ遅くまでやっていたようだ。

もっとも弥生は局に籠もっているので無関係だった。

紫式部も付き添いと称して局に一緒にいた。

姉の大納言が夕食を運んでくれたので、弥生も紫式部も局から一歩も出ないですんだのだった。

その大納言が、弥生たちの局に来ていた。

「昨夜は少し疲れた」と、休みにきたのだ。

「遅くまでお疲れさまでした」

と紫式部がねぎらう。

「殿上人の方々ばかりで気疲れしました。赤染衛門さま初め、宮中に出仕している女房がたも手伝いに来てくださったので助かりましたけどね」

「そうでしたか」

清涼殿の殿上の間に昇ることを許された者のうち、公卿を除いた四位以下の者が、殿上人だった。若い者も多い。

「道長さまも、だいぶお酒を召し上がって」

「お身体にさわらなければいいのだけど」

と弥生が心配した。

藤原道長は飲水病――いまでいう糖尿病を患っていたことが知られている。

「鷹司殿もご心配だったでしょう」

と紫式部が苦笑する。

「鷹司殿は早々に寝所へ行ってしまいました。そのときに、左大臣さまにあまりのみ過ぎないようにとひとくさり申し上げたところ、何かあっても『源氏物語』の続きが読めれば、すぐに元気になるとおっしゃって」

なんの悪気もなく大納言はそう言ったのだが、紫式部はそんな言葉にいちいち反応していた。

「そう、ですか……」

雨のなかにその声が消えていく。

文机はうっすらとほこりをかぶったままだ。

いま、紫式部は何も書いていない。

『源氏物語』はおろか、ちょっとした手紙のひとつも書いていないだろう。

執筆に疲れてちょっと休んでいるとか、物語の催促に倦んで逃げているとか、そういう感じではない。

昨日の紫式部の話によれば、もう書くことがなくなってしまった、というのである。


その気持ちもわかる気がした。

弥生が大学四年に文学フリマに同人誌を出したときの話は、した。

そこで読者から感想をもらって感動したのだけど、以後、文学フリマに出店はしていない。売れ行きや事前の準備の大変さなどによるものではない。どちらも、諸先輩方の話をネット上でいろいろ調べて回って覚悟はしていたからだ。

では、なぜ二度目の出店を考えなかったか。

一回書いてみて満足してしまったからだった。

『いやー、ネタってそんなに出てこないもんだねぇ』

『プロの作家ってすごいね』

『五十四帖も書いた紫式部って、やっぱりヤバいよね』

一緒に同人誌を書いたゼミの子たちとそんなやりとりをしながら、「鳥貴族」で打ち上げをしたのを覚えている。

「書くことがなくなった」という深刻さが、紫式部を止めている――。

これほどの大作家でもそういうときがあるのかと軽く感動する反面、このままではいけない、と弥生は焦った。

第一帖「桐壺」だけでは『源氏物語』にはならない。

「『源氏物語』が第一帖で終わってしまった件について」――大炎上不可避だ。

何もしないで待っていても紫式部は『源氏物語』の続きを書き出すとも思えない。

どうしたらいいのだろう。

弥生は、千年以上未来にまで残っている『源氏物語』のあらすじを覚えている。

必要とあらば、かなり詳細なところまで説明できるつもりだ。

その説明に沿って紫式部が文章を書いていけば、弥生が知っている『源氏物語』はかなりのところまで再現されるだろう。

しかし、そんなことをしてしまったら、それこそ歴史が変わってしまう。

弥生はぞくりとした。

自分が感じている焦燥感の正体は「歴史が変わってしまう」ところに行き着くというのか……。

「ねえ、紫式部。昨日の話だけど……」

と弥生が声をかけると、紫式部は唐衣の袖で口元を隠した。

「うふふ。せっかく呼んでくださった道長さまには申し訳ないのですが、書きたいだけ書いてしまった感じはしているのです」

そう言う紫式部の声が明るい。

「えっ」

と、彼女の顔を凝視すれば、変にさっぱりした顔をしている。

「昨日、小少将に話をしたらなんだかすっきりしてしまいました」

「あ、ああ……」

「もう思い残すこともないし、宮仕えもどんなものかわかったし、中宮さまにお許しいただいて出家してしまおうかしら」

本気だ、と直感した。

とてもよくない。

弥生は胸と喉が詰まった。

弥生が〝小少将〟になってから何日がたっただろう。

その間に紫式部は気持ちの整理をつけて、撤退の意志を固めようとしていたのではないか。

そこに昨日のやりとりが、背中を押す形になってしまった。

けれども、まだ希望はあるとも弥生は感じた。

ほんとうに思い悩み、苦しみ抜いて、追い詰められたとき、人間は黙って実行に移すだけではないのか。

かつての弥生がそうだったからだ。

いじめで悩み、リストカットをしたとき、弥生は誰にも相談しないで、ただ手首を切った。

紫式部は出家の願望を口に出している。

それはまだ迷っている証(あかし)かもしれなかった。

いや、それに賭けたい。

自分が〝小少将〟となったのは、紫式部にもう一度筆を執らせて、『源氏物語』を書き上げてもらうためなのではないか。

パラレルワールドなのか、マルチバースなのか、とにかく、いま『源氏物語』が書き上げられない歴史に入り込むかどうかの瀬戸際だと思った。

『源氏物語』で命を救われた自分が、『源氏物語』を救う。

不思議な縁だけど、それでこそ推しへのお返しができるというものだ。

弥生は笑みを見せた。

「ふふ。出家なんて許しませんよ。だって、わたしがさみしいではありませんか」

冗談めかした言葉に祈りを込める。

紫式部は気づいているのか、小さく苦笑した。

「こんなに可憐(かれん)な小少将にそんなふうに言われたら、出家の決意も揺らいでしまいますね」

「碁や韻ふたぎも飽きました。やはり物語が読みたいです」

小少将、と大納言が軽くたしなめるが、弥生は止まらない。

ほんとうに決めたときは、黙ってただ実行するのみだからだ。

「物語ですか……」

と紫式部が三度目の正直とばかりに口ごもる。

「ええ。ひとりで読んでもつまらないですから、みんなで物語の朗読でもしませんか」

「……『桐壺』を使うのですか?」

紫式部がやや上目遣いに確認した。

「そうしたいのはやまやまですが……それだと紫式部が少し恥ずかしいのでは？」

「ええ。まあ……」

あえて「恥ずかしい」という少し軽めの言葉で、紫式部の気持ちを封じ込めにかかった。

「なので『伊勢物語』あたりにしましょう」

紫式部が、少しほっとしたような顔になる。

「ここにいる三人でするのですか？」

「はい。ああ、いらっしゃるなら、赤染衛門さまにも来てもらいましょうよ」

昨夜、大きな宴をしたあとだ。赤染衛門も今日は宮中に戻らず、こちらで少しゆっくりしているなら、ぜひ参加してもらいたい。

半分は紫式部への刺激だが、残り半分は弥生の個人的な願望だ。

確認したところ、赤染衛門は土御門第に残っていた。

弥生は深呼吸をする。

なんとかして紫式部に再び筆をとってもらおう。

『源氏物語』救済計画、開始だ。

大納言が赤染衛門を連れてきた。

さらに、ふたりで四人分の『伊勢物語』の写本を持っている。

『伊勢物語』は、その多くが「むかし、男」という冒頭から始まる短い話で成り立っている歌物語である。

主人公である「男」の名は明かされていないが、取られている歌と逸話から在原業平(ありわらのなりひら)を基にしていると考えられている。

在原業平は平城(へいぜい)天皇の孫で、官位は従四位上(じゅしいのじょう)・蔵人頭(くろうどのとう)・右近衛権中将(うこんえごんのちゅうじょう)。

六歌仙という極めて歌のうまい人たちのひとりで、百人一首でも「千早ぶる　神代もきかず　龍田川(たつたがわ)　からくれなゐに　水くくるとは」という歌が「在原業平朝臣」の名で収められている。「神代の時代にさえこんなことは聞いたことがない。竜田川いっぱいに紅葉が散り流れ、水を紅色に染めあげるとは」くらいの意味である。

百人一首からは想像できないかもしれないが、業平は美男子で色好み——恋多き男として数々の逸話とそれに結びついた恋の歌を多数残している。その業平の歌と物語を下敷きにしている『伊勢物語』は歌物語であり、恋物語だった。

在原業平の姿も歌も、さらには『伊勢物語』それ自体も、『源氏物語』に影響を与えたと考えられている。

影響を与えた、とは、紫式部の創作者としての心の琴線に触れたのだと、弥生は解していた。

つまり、「こんなものを書いてみたい」「自分だったらこうは書かない」という作家としての魂を揺さぶった作品だということだ。

「どこを読みましょうか」

と大納言がいそいそと冊子をめくる。

『伊勢物語』はぜんぶで百二十五段。

すなわち、百二十五の小さな話の節から成っている。

主人公の「男」が元服するところから死去するところまでの一代記だ。

「やはり最初の『初冠（ういこうぶり）』からでしょう」

と、弥生が提案する。

「では、そうしましょう。紫式部もいいですか」

そのように赤染衛門に言われて、「あ、はい」と紫式部が冊子を構えた。


まず、赤染衛門が朗読する。

昔、男、初冠して、平城（なら）の京、春日（かすが）の里に、しるよしして、狩りにいにけり。

――昔、ある男が元服して、平城京の春日の里に領地を持っていた縁で、鷹狩りに行った。


ああ。落ち着いたよい声。

弥生はうっとりした。

平安時代を代表する才女・赤染衛門が直々に『伊勢物語』を朗読している。

彼女が書いた『栄花物語』でないのが残念だが、贅沢なひとときだった。

読む早さ、微妙な抑揚など、平安人ならではの音。

若干、現代の関西弁の調子に似ていた。

そういえば、関西弁の調子で朗読すると平安時代の文章はするする頭に入るという話が一時期ネットに出ていたっけ……。

「初冠」は短い。

元服して春日の里という田舎へ鷹狩りに行った男が、思いがけず若く美しい姉妹を垣間見て驚き、着ていた狩衣の袖をちぎって、古歌を下地にした歌を書き付けて贈った、くらいの内容だった。

赤染衛門が「初冠」の朗読を終える。

「すてきな朗読でした」

と弥生は手をたたいた。

「あらあら。こんな年増の朗読にもったいない」

「とんでもないことでございます。やはり人の声で物語を読むというのはいいですね」

「そうね」と大納言もうなずく。「この『初冠』の感想を話すのですよね」

「『伊勢物語』は何度も読んでいるので、いまさらな感じもあったのですが、あらためて声に出して読んでみると、やはりこの男の行動がいとをかし」

　と赤染衛門が感想を述べてくれた。

「ええ。元服したての男の人というのは、そんなふうに美しい姉妹を見かけると袖をちぎって歌を届けたりするのでしょうか」

　と弥生が言うと、大納言が続けた。

「それに対して、誰とも知らない作者が『ついでおもしろきこととともや思ひけむ』――趣深くしてやったと思っているのではないのかとひょっこり顔を出しているのが、読んでいるわたしたちの心を代弁してくれているみたいですね」

「そうなんですよね」弥生は我が意を得たりとばかりに同意しつつも、「紫式部はどんなふうに思いました？　この『初冠』」

　紫式部による『伊勢物語』論。

　聞くまえから、弥生は軽く倒れそうになっていた。

「……小少将、近いです」

「あ。ごめんなさい」

少し下がる弥生。

「熱を出してから、やはり少し変わりましたよね」

「そんなことはないです。ささ、紫式部、どうぞ」

紫式部は何かに負けたようにため息をつくと、話し始めた。

「わ、わたしの個人的な意見なのですが、出だしに無駄もなく、とてもよい段だと思っています。けれども先ほどみなさんがおもしろいと思われた作者の言葉は……」

「ああ。ないほうがいい？」

紫式部は申し訳なさそうに、「わたしなら、そこは書かないです。たぶん」

「それはどうして？」

と、弥生はあらためて紫式部に問いかけた。

紫式部は眉をひそめた。

やや露骨に嫌そうな顔をしている。

もしかしたから怒って座を立ってしまうのではないかと思ったけど、彼女はちゃんと答えてくれた。

「興ざめするからです」

「興ざめ……」

「せっかく物語が始まって、主人公が登場し、恋の予感があり、話が動き出したところなのに、作者の声が挟まってしまうと、また現実に引き戻されてしまうように思うのですが……」

「ああ、たしかにそうかもしれませんね」

と大納言が手を打った。

大納言が自分の意見に同意してくれたことで気をよくしたのか、紫式部が少し口角を持ち上げる。

「この一言がなかったとしても通じると思うのです。そういう言葉は入れないほうがいい」

本気で倒れそう。

弥生はまたしても心中、感銘に震えた。

紫式部が『伊勢物語』を批評しているのだ。

批評はただの文句ではない。

物語を味わい、それでも乗り越えられない、譲れないものを持っている人間にだけ許される行為であり、物語を愛すればこそ許される行為だ。

物語を嫌って滅多斬りにするのは批評ではなく、批判だ。

なんだ、この光景は。

野球にたとえれば、ベーブ・ルースが大谷翔平選手について述べているくらいの衝撃だろうか。

あるいはジョン・レノンがマイケル・ジャクソンとセッションをしているような。

自分でも何を言っているのかよくわからなくなってきた――。

ただ、弥生は確信する。

この批評眼が生きているあいだは、彼女は創作者としての種火を残している、と。


朗読会がゆっくり進んでいく。

「初冠」のあとは複数の段にまたがる「東下り」を取り上げた。

弥生は『伊勢物語』を順番どおりに読むのではなく、よく知られている有名でおもしろいところを中心に読んでいこうとしているのだった。

「物語なんて、わたしは嫌いです」――先日、紫式部が言った言葉が弥生のなかでわだかまっている。

踏みつけた濡れ落ち葉のように、違和感を残していた。

物語が嫌いな気持ちがあっては、『源氏物語』は書けまい。

もちろん、創作に苦労はつきものだとは弥生にも想像できる。

ちょっとした同人誌だって大変だったのだ。

ましてや『源氏物語』においてをや、である。

『源氏物語』は巨大な物語世界だ。

全五十四帖と何度も言ってきたが文字数に直せば、約百万文字。

物語世界に登場する人物はおよそ五百人。

その五百人もきちんと練り込まれていて、誰かが欠けても『源氏物語』は完成しない。

これをすさまじいと言わずして何をすさまじいと言おうか。

創作を苦痛と感じるだけでは、書けない。

物語への情熱と愛がなければ、無理だと思うのだ。

その手始めとして、物語はおもしろいという気持ちを取り戻してほしい。

それが弥生の願いだった。


紫式部は言っていたではないか。

宮仕えをするまえ、実家では物語についてあれこれ論じ合える友人がいた、物語を互いに書いて批評し合っていた、と。

それを再現したいのだ。

「東下り」の段の感想が終わると、「こうして同じ物語を読んであれこれ言い合うのも楽しいものですね」と大納言が笑っていた。

無邪気な笑顔に、弥生もうれしくなる。

「歌会のように格式ばっては疲れてしまうし。かといって、おしゃべりのついでに物語の話をするのでは深みが出てこない。このくらいの感じ、わたしは好きです」

そう弥生が言うと、紫式部もやっと明るい感じに笑った。

「ふふ。ほんと。楽しいものですね」

「同じ物語を読んでも、ここにいる四人だけでも結構意見が違うのが驚きでした」

と赤染衛門が『伊勢物語』を目で追いながら、そう言った。頬が上気している。

「わたしは小少将が珍しくよくしゃべるので、また熱が出ないかと戦々恐々としていました」

そんな軽口をたたいたのは紫式部だった。

少しは鬱屈が取れたのだろうか。

今日は初めてにしてはうまくいったと思う。

ただ、予想もしえない感想が飛び出してくるような意外性はなかった。

和泉式部（いずみしきぶ）とかがいたら、また話は違うのだろうか……。

赤染衛門が口元を隠しながら、朗らかに笑った。

「ほほほ。この四人にさらに和泉式部ですか。小少将もずいぶん今日の朗読会が気に入ったのですね」

「え？　あ？」

弥生は狼狽(うろた)えた。

言葉に出てしまっていたらしい。

「和泉式部ですか……」

と紫式部の顔が曇った。

「あらあら。小少将ったらどこでその人のことを」と大納言。

和泉式部は恋多き女として歴史に名を残す。

数々の恋の遍歴、しかも皇族との連続した恋も含まれている。

彼女も道長に招かれて彰子の女房となるのだが、ちょっと問題があった。

「和泉式部がこの邸にいたりはしないですよね」

と弥生が尋ねると、大納言が「ええ」とあっさり答えた。そうよね、とうなずいたものの、弥生は少し落胆した。

和泉式部はもう少しあとになって中宮・彰子のところへ宮仕えをするのだ。

しかも、「恋多き女」和泉式部を紫式部は苦手に思っていたらしい。

そのため、和泉式部が出仕してきたとき、すでに彰子の女房団のなかで中心的な位置にいた紫式部だったのに、出仕初日の和泉式部への対応は自分の後輩である伊勢大輔に丸投げしてしまう。

ただし、伊勢大輔は利発な性格でもあったこともあり、結果としてこの人選はうまくいった。出仕初日にもかかわらず、和泉式部と伊勢大輔は旧知の仲のように打ち解け、一日中話は尽きなかったという。

推しの人事的采配が見事だったと絶賛したいところだが、まあ、公平に見れば苦手そうな新入りから逃げたと見えなくもない……。

「どうかしましたか」と紫式部。

「いえ。はは」もう少ししたら起こる未来の出来事を考えてました、とは言えないので笑ってごまかす。「なんというか、もしかしたらまったく違った意見が聞けたらそれはそれで楽しいだろうなと思ったもので」

それだけではない。

和泉式部の豊富な恋の話も、もしかしたら紫式部を刺激したかもしれないのに。

「まあ、いろいろとおにぎやかな方だとは伺っていますが、ふと口にする歌にはいいものがあるとか……」

と紫式部はなんとなく明言を避けた。

うーん。すでによい印象は持っていないのだな。

いないものはしょうがない。

いる人たちでなんとか紫式部を盛り上げていこう。


ならば次は……。

物語について話した。

弥生は小さく手をたたいて、いま思いついたとばかりに提案する。

「今日読んだ『初冠』『東下り』、すばらしいところがたくさんでしたけど、『ここはどうかな』というようなところもありましたよね。それらを踏まえて、自分なりに何か書いてみませんか?」

演技力に自信はないが——というより明らかに棒読みだったように思うのだけど、みなそこは気にならなかったらしい。

「え?」と目を丸くしたのは大納言だった。「物語を書いてみるのですか」

「物語というほどの形になっていなくてもいいと思います。そうですね。『初冠』で歌をもらったとき、美しい姉妹が何をしていたか、とか」

「物語にないところを書いてみるのですね。おもしろそうです」

と赤染衛門がのってくれた。

弥生の大根役者ぶりを、大納言は驚いていたから、赤染衛門はおもしろそうとおもったから、気に留めなかったのだろう。

「もちろん自分なりの、まったく新しい『初冠』や『東下り』を書いてみてもいいと思います」

「おもしろそう」と赤染衛門が繰り返したが、「でも、物語って書いたことがないのでよくわからないのだけど……」

「わたしもです」

と、同人誌のことは黙っている。

「………」

紫式部が暗い表情で無言を貫いていた。

それはそうだろう。

彼女はいま、物語にできる限り関わり合いたくないはずだ。

それが、弥生の棒読み気味な演技が紫式部に指摘されなかった理由だろう。

「紫式部っ」

と弥生は、紫式部ににじり寄った。

「え？」

紫式部が驚く。

「わたしたち、がんばって書いてみますから、助言してください」

「こ、小少将、近いです」

紫式部がのけぞるように逃げた。

しかし、追い詰める。推しを逃がしはしない。

「そこをなんとか」

弥生が鼻息荒く紫式部に近づいていると、紫式部が困った顔で大納言を振り返っている。

けれども、大納言は言った。

「紫式部のお邪魔にならない範囲で結構ですから、お願いします」

ナイスだ、わが姉。

「いや、わたしなんて……」と紫式部はまだ逃げようとする。

すると赤染衛門が楽しげに笑い出した。

「ほほほ。そうやって大納言と小少将にお願いされている紫式部は、まるでひな鳥に餌を求められている母鳥みたい」

紫式部の顔が少し赤くなる。

結局、紫式部は弥生たち三人の物語作りの助言をしてくれることになった。

第二章　孤独

次の集いは二日後になった。

大納言たちが土御門第に集まれるのがその日だったからだ。

ついでと言ってはなんだが、集い、だけでは味気ないので「物語の集い」という呼び方にしようと、赤染衛門と大納言が中心になって決めた。

ふたりがのりのりになってくれて、結構心強い。

さて、その第二回「物語の集い」の日程なのだが……。

弥生もその前日には久しぶりに——といっても〝弥生〟としては初めての——宮中での勤めがあった。

朝からどころか、前日の夕方くらいから緊張していた。

「あのぉ。小少将？」

夕食を一緒にしていた紫式部が、そっと声をかけてきた。

「は、はいぃぃっ」

いきなり声をかけられた感じで、弥生は飛び上がる。

羹（あつもの）（お吸い物）をひっくり返してしまった。

「小少将⁉」

「熱っ‼」

羹が手にかかったのだ。

女房装束は重い。

重いぶん、布が厚いのでこぼした羹はなかなか染みないが、機敏に動けない。

羹の熱さに驚いて激しく身を翻そうとした結果、夕食の膳を見事にひっくり返してしまった。

「大丈夫⁉」

「ご、ごめんなさいっ」

こちらを驚かさないようにそっと声をかけてくれたのがかえって裏目に出た。

物音を聞きつけてやってきた土御門第の女房や召人(めしうど)が、お膳を片づけてくれる。

「だいぶ、驚かせてしまったみたいね」

「はは。明日、久しぶりの出仕かと思うとやっぱり緊張して」

内裏の様子は、小少将の記憶があるから思い浮かべることはできる。

しかし、そこに〝小少将〟ではなく、〝藤原弥生〟として足を踏み入れることができるかはまったく別の問題だった。

しばらくして、お膳があらためて用意される。ありがたいのだが、まえのお膳を粗末にしてしまったのが申し訳ない。

「今度は気をつけて食べてくださいね」と紫式部。

「はい」

「わたしも声をかけるときには気をつけますから」

「はい」

「だいぶ不安そうにしていたので、明日からの出仕をそんなに気に病んでいるのかと心配になって声をかけたのですけど……」

「ごめんなさい」

紫式部も食事を再開する。

すっかり冷えてしまった自分の羹をすすり、紫式部は視線を落としてつぶやいた。

「ね？　怖いものは怖いよね」

「え？」

紫式部はにっこり笑う。

「さ、羹が冷めないうちに」

弥生は促されるままに、器を手に取った。

＊　＊　＊

翌日、〝小少将〟弥生は、内裏に上がった。

「まあまあ」とみな、〝小少将〟の身体を案じ、復帰を喜んでくれたのである。

涙が出そうになった。

〝小少将〟として出仕しなければいけないというのが、弥生にとって最大の悩みのひとつだったのだが、意外とすんなりいってしまった。

むしろ、こんなに温かく出迎えてもらえて、なんだか申し訳ない。

例によって、「女房として何をなすべきか」といったことは身体が勝手に反応してくれた。

だいたいの宮中の間取りのようなものも頭に入っている。

とはいえ、〝小少将〟弥生はほとんどひとつの場所から動かなくてよいのだが。

その場所とは、中宮・藤原彰子のいる飛香舎(ひぎょうしゃ)である。

内裏――いわゆる平安御所には、天皇の后たちが住まう後宮として七殿五舎が建てられている。

具体的には内裏の後方、紫宸殿(ししんでん)や清涼殿(せいりょう)、仁寿殿(じじゅう)の北のほうにあった。

後宮七殿五舎のうち、もっとも格式が高いとされたのが弘徽殿。『源氏物語』ではことあるごとに源氏をいじめる弘徽殿の女御が居住した場所で、そのせいで印象がよくないが、そのような格の違いがあるとわかって読むとまた違ってくる。

彰子の飛香舎もまた『源氏物語』で有名な殿舎だった。

作中に飛香舎とはあまり出てこないが、その別名が大きな意味を持って登場する。

藤の花が植えられていたことからつけられた飛香舎の別名は「藤壺」。

源氏の義理の母にして、その心に深く深く残り続ける五歳年上の想い人こそ、藤壺と呼ばれている。

のちに中宮にまでなる彼女の名は、与えられた殿舎が藤壺——飛香舎だったことにちなんでいる。

つまり、紫式部は自分の主人である中宮彰子の殿舎の名を冠する女性を、源氏の義母にして愛人として描いたことになる。

よくよく考えれば、それを読んだときに彰子はどのように思ったのだろうか……。

だが、いま現在『源氏物語』はそこまで書き進められていない。

「藤壺」には、中宮彰子の住まう場所以上の意味合いは、いまの内裏には含まれていない。

女房としての〝小少将〟弥生は、その藤壺で彰子のそばにいるのが主たる務めだった。

〝小少将〟弥生は初めて会った彰子に感動していた。

ああ。この人が中宮彰子なのか……。

顔立ちは道長にやや似ているが、おっとりとしたいわゆる和風の美少女である。やさしげで切れ長の目はまつげがたっぷりしていて、色白で緩やかな曲線を描く頬が可憐だった。小さな鼻と小さな口がいかにも品がよい。

身体は小さい。

この時代の女性たちは身分が高い人ほど軽装になる傾向があった。つまり、仕える側である弥生たち女房はいわゆる十二単という重い衣裳を身につけるが、仕えられる側である彰子のほうはそれよりも軽やかな小袿姿である。

しかし、それでも衣裳のほうが大きく見えてしまうくらいに小柄だった。

年齢は今年十八歳。

彰子の年齢を頭のなかから引っ張り出したとき、弥生は驚いた。

十八歳で、この気品はどういうことか。

高貴な人、というのが、そこにいるだけでわかる。

弥生は自分の高校三年生の頃と比べてしまい、軽くへこんだ。

「ああ。小少将の君。よく戻ってきてくれました。身体はもう大丈夫なのですか」

穏やかでありながら麗しく、心を落ち着かせてくれるのに、声をかけられただけで不思議とうれしくなるような声だ。

あらためて、生まれながらの高貴な姫なのだと実感する。

だから、素直な言葉が口をついた。

「はい。ご心配をおかけし、まことに申し訳ございませんでした」

なんの衒（てら）いもわだかまりもなく、自然に平伏してしまう。

「ふふ。あなたがいないと、大納言の君もどこかさみしそうで。ただでさえあまり派手さのないこの藤壺が、ますます静かになってしまいました」

「畏れ入ります」

女房たちの身分は、上臈・中臈・下臈にわかれている。

彰子周りの女房たちで言えば、上臈女房としては、今上天皇（一条天皇）の乳母でもあった橘三位（たちばなのさんみ）を初め、『蜻蛉（かげろう）日記』の作者の藤原道綱母（ふじわらみちつなのはは）の孫である宰相の君や、もとは道長の姉の東三条院詮子（せんし）に仕えていた宮の内侍、大納言などがいた。

道長や倫子の縁者が多く、〝小少将〟弥生もその末席にいる。

紫式部は中臈女房で、宰相の君の妹の式部のおもとも中臈女房として仕えていた。

中臈女房は受領（ずりょう）階層の娘などが多く、紫式部もそうだった。

下臈女房としては、女蔵人たちがいた。

弥生の務めは「藤壺で彰子のそばにいる」ことなのだが、実は正確ではない。たしかに上臈女房たちの最大の務めは中宮彰子のそばにいて、話し相手をすることではある。

しかし、女房たちは本来、主人の身の回りの世話をするとともに、主人のために公卿たちと取次や交渉をするために存在するのである。

こうしているあいだにも、紫式部ら中臈女房たちが出入りを繰り返していた。

弥生は勝手もわからず、ただ彰子のそばにいるばかり。

彰子がときどき話しかけてくるのを、かんたんな受け答えで応じるだけだった。

〝小少将〟弥生の出仕一日目は終わった。


病み上がりでもあるからと、弥生は宮中を辞した。

本来、〝小少将〟は彰子のそばに夜中もいて、宮中の局で寝泊まりをする。

今日は特別だった。

紫式部もちゃっかり一緒に、土御門第へ戻る。

天皇や后たちの生活空間である内裏は、律令に定められた八省の建物などに取り囲まれて、全体として宮城としての大内裏と呼ばれた。

この大内裏には牛車は乗り入れられないので、大内裏外郭十二門のひとつである待賢門から牛車に乗る。

紫式部は弥生と一緒に乗り込むと、まず弥生の身体を案じてくれた。

「久しぶりの藤壺、疲れたのでは？」

「ええ。少し」と弥生は微笑む。「けれども、わたしはただ座っていただけですから。紫式部のほうが疲れたでしょう？」

「まあ、わたしのような中臈は動き回るのが仕事みたいなものですから。それに上臈女房の方々のなかには取次や交渉ごとが苦手でただ気位高く座っているだけの方もいらっしゃいますから」

弥生は苦笑した。「耳の痛い話です」

紫式部が慌てた。

「あなたは違いますよ？　あなたはそもそも、女房勤めなどおかしいのです。だって、中宮さまの従姉妹なのですよ？」

「まあ、そうですけど」

従姉妹だと言われるまで忘れていた。

彰子のあの気品は、真似できるものではない。

「それこそ姫君として多くの女房にかしずかれるべき生まれなのに、お父上が亡くなってしまったせいで、姉上の大納言の君ともども、不慣れな女房勤めをしなければいけなくなったのかと思うと、わたし、いまでもかわいそうで……」

と紫式部がほんとうに涙ぐんでいる。

「む、紫式部。そんなに思い詰めなくても」

「だって。小少将はわたしにとってそれだけのかけがえのない友達なのですから」

弥生の胸の奥が痛んだ。

それは、まっすぐな友情に不慣れな弥生の悲しい痛みであり、同時に〝小少将〟が受けるべき友情を横取りしているような罪悪感の痛みだった。

「紫式部……」

弥生がどうしていいかわからなくなりかけたとき、紫式部がゆるやかに髪をなでてくれた。

「宮仕えって、嫌ですよね。わたし、まだなれない」

「でも今日、紫式部は立派にお務めを果たしてたでしょ？」

「それは、あなたがいてくれたからですよ」

「え？」

揺れる牛車のなか、紫式部は物見から外を見るように首を曲げる。

「『源氏物語』で有名になって、道長さまに招聘されていやいや宮仕えが始まって。そこで待っていたのは、宮中にいままでいた女房たちからの冷たい仕打ちでした」

無視をされ、たまに話しかけられたと思ったら嫌味を言われた。

「そう、でしたね」

弥生がため息をついた。小少将も弥生も、そのことは知っている。


それもこれも『源氏物語』のせいなのだ。

あんな評判になった『源氏物語』の作者が女房として出仕する。きっと評判を鼻にかけ、教養をひけらかす嫌な女に違いない――そんな先入観が先輩女房たちを支配していた。

平たく言えば「『源氏物語』の作者とかいう女を試してやろう」という空気だったのだ。


これは現代でもある。

たとえば、塾講師のアルバイトでも新しいクラスを受け持つとき。

子供たちは露骨に「この先生はできるかできないか」のお試しの視線を向けてくる。

逆に自分たちがお試しをすることもあった。

右も左もわからない宮中で、いじめられているのに自分がへりくだって「よろしくお願いします」と手紙を書いてもあやふやにされた紫式部は、心を砕かれてしまった。

紫式部は実家に帰ってしまったのである。


そのときの紫式部の心情を思うと、弥生も心がきりきり痛む。

以後、五カ月あまり、彼女は出仕を拒否し続けた。

一応、女房たちの言い分もある。

紫式部が出仕してきたのは、その年の大晦日（おおみそか）だった。

なんでそんなとんでもない日になったかと言えば、すでに十分、紫式部が駄々をこねていたからとも言えた。

そもそも紫式部は出仕したくなかったのだ。

けれども、夫を亡くして幼い娘を抱えていたし、きょうだいたちの出来もあまりよろしくなく――きょうだい運がなかったのは、いろいろとライバル関係を取り沙汰される清少納言（せいしょうなごん）も同じだ――そうなれば、家計を背負うのは自分しかいない。

むしろ自分ががんばることで受領の父の任地がよくなるかもしれない。

でも、やっぱり……。

そんなこんなで大晦日である。

他の女房にしてみれば、「この忙しいときに初出仕？」「予備知識ゼロ？」「どんだけ左大臣道長さまに気に入られてるのよ」と思ったに違いない。

他の女房は年末の忙しさもあっていらいらは振り切れんばかり。

ゆっくり紫式部にものを教えている余裕もなかったのだ。

それにしても、よくもまあ、この紫式部を出仕まで持っていったものだと、藤原道長の粘り強さというか気合いというか、そういうものに感心してしまう。

その強引すぎる気合いが大晦日出仕という前代未聞の初日を迎え、もめて、傷ついて、紫式部は引きこもってしまう。

やっぱり道長が悪い。

「そのわたしがもう一度出仕できたのは、小少将、あなたがいたから。あなたはわたしをいじめたり無視したりしないで、あるがままに受け入れてくれたから」

弥生は小さく首を振った。

「わたしのしたことなんて……」

「とても大きな支えよ。ありがとう」

「でも、そのあと紫式部も努力したでしょ？」

紫式部が苦い笑みを見せる。

「もう黙っていようと思っただけ。漢詩が読める女がみんな嫌いなようだから、漢字の『一』も読めない女の顔をしただけよ」

ほんとうのことだった。


五カ月たって紫式部はふらりと戻ってきた。

けれども、五カ月間、ただ実家に引きこもっていただけではない。

紫式部なりにどうやれば宮中でうまくやっていけるかを考えていたのだろう。

そうして出た結論が、「とにかく無知な振りをしよう」ということだった。


才能をひけらかさない。

そもそも漢詩なんて読めない。

いやいや漢詩なんて興味もない。

っていうか漢字も読めない。

『源氏物語』？　何それ。おいしいの？

紫式部は「アホの振り作戦」を決行したのである。

加えて、なんの興味も関心もない女同士の噂話（うわさばなし）に「なになに？」「教えて教えて」と首を突っ込むようにした。

三十過ぎの年を忘れて、若い女房たちの会話をまねようとがんばったのである。

すると、妙なことが起こった。

当時、紫式部いじめの中心にいたのは彰子付き女房ではなく、天皇の身の回りを担当する女房たちのひとり、左衛門（さいも）の内侍という人物だったのだが、彼女が「身分の高いわたしに引け目を感じたか」と勝手に解釈したのだ。

言い換えれば、「わたしのほうが上だとわかったか」ということだ。

さらに他の女房たちも、「あなた、おっとりしているのね」「すぐに知識をひけらかせて人を見下す人ではないのね」と、自分たちに納得できる都合のよい形で解釈してくれるようになった。

紫式部の作戦は成功したのである。

「紫式部は運がよかったのよ」

と、思わず弥生の本音が出た。

何もできない振りをしても、場合によってはいじめがひどくなることもある。

謙虚さを理解してくれるのは、頭がよく、実力を持った人だけだ。

そうでない人は謙虚にすればするほど、ばかだと思ってくる。

こちらが謙虚にしていると、かえって図に乗ってくる輩（やから）もいるのだ。

弥生の実体験である。

紫式部の目がかすかに鋭い光を帯びた。

「……小少将。まさか誰かにいじめられている？」

「そんなことないよ？」

弥生は冷や汗をかいた。

やはり紫式部。

観察眼は並大抵のものではなかった。

紫式部はしばらく弥生を凝視していたが、いじめは存在しないようだと安心したのか、視線を外した。

「……小少将。ありがとう」

「え？」

「『源氏物語』が書けないとわたしが言っているので、あれこれ考えてくれているのでしょ？」

「…………」

視線が泳いだ。

「まさか、バレていないと思っていた？」

「――いいえ」バレるでしょうね。「迷惑、だった？」

紫式部は短く答えた。

「正直」

推しの一言、百雷のごとし。

弥生は平伏した。

「ごめんなさいっ。でも、わたしどうしても紫式部に『源氏物語』を書いてほしくて」

紫式部がじっと弥生を見つめる。

「そういえば今日は、またみなで物語について語る約束でしたね」

「ええ。それぞれ書いてきた物語を見せ合って……」

「わたしは」と紫式部が弥生の言葉を打ち消すような勢いで自白した。「書けなかったけど」

「そう……」

「はい」と紫式部が小さく答えた。

＊　＊　＊

日が落ちて、紫式部と弥生の局に、赤染衛門と大納言がやってくる。

ちょうど弥生の髪を紫式部が梳かしてくれているところだった。

「あらあら。ずいぶんおくつろぎのところ」

「小少将、今日でよかったのですよね」

と手に竹簡を持った大納言が尋ねてくる。

たぶん手にした竹簡に物語を書いてきたのだろう。

彼女にしては珍しく頬が上気している。

「今日ですよ、今日」

と弥生が言って、紫式部が櫛をかたづけた。

弥生たち四人のうち、書いてきたのは紫式部以外の三人である。

弥生は「初冠」を三倍くらいの長さの物語に仕上げた。

大納言は「東下り」の前日談とでもいうべき、男が「自分なんていらない人間なのだ」と東下りを思い立つまえの架空の恋物語を書いた。

赤染衛門は「初冠」に出てきた歌が、在原業平によってどのように読まれたのかという背景を物語風にまとめている。

「どれもおもしろそうですね」

と弥生は目を輝かせた。

自分が書いた物語はともかく、大納言に赤染衛門という、歴史にちゃんと名の残っている女房の未発表原稿を読めるようなもの。

文学部の院生として、舌なめずりする思いだった。


弥生たちがわいわいとやっている横で、紫式部は真剣なまなざしでひとつひとつを読んでいた。

自分の書いた物語を推しの紫式部が読んでいる。

すでに卒倒しそうだ。

紫式部は木簡に目を落としたまま、小さな声で言った。

「小少将、よく書けていますね」

「お、畏れ入りましてございます」

頭から蒸気が出ているのではないかと思う。

神さま、仏さま。幸せすぎて、わたしはもうダメです。

紫式部が顔を上げると、不思議そうに弥生を見ている。

「大丈夫？」

「だ、大丈夫です」

「参内してぶり返したとか」

「そんなことありません」


互いに習作を読み合って評価し合うというのは、思いのほか、楽しかった。

ゼミだとどうしても戦いになってしまうからね。

楽しすぎて、大納言からもたしなめられた。

弥生はかなりテンションが上がっていたらしい。

そのにぎやかさに引かれたのか、男がひとりこちらにやってきた。

左大臣・藤原道長だった。

虫青の重ね色目の狩衣で、ゆったりくつろいでいるのがわかる。

「季節は冬だというのに、ここは春の華やかな花が咲き誇っているようだ」

と、それなりに体裁を作って顔をのぞかせた。

弥生たち四人とも仕事柄、道長には素顔を見られているのだが、決まりが悪くて袙扇で顔を覆う。

「何をやっていたのだね？」

と道長が年かさの赤染衛門に尋ねた。

赤染衛門が自らの習作を見せて「このような集いでした」と説明する。

道長は局に入ってあぐらをかくと、赤染衛門の習作を読み始めた。

赤染衛門が終わると弥生、さらに大納言の書いたものを読んでいく。

ふむふむ言いながら読んでいた道長だったが、ひとしきり読むと手近にあった脇息（きょうそく）を取り寄せた。

「どれもよく書けているではないか。紫式部が書き方を教えたのかね？」

と紫式部に確認している。

「いいえ。それほどわたしは物知りでも経験豊富でもありませんから」

「なるほど」と道長は鼻の下の髭（ひげ）をなでている。「それぞれ、女の立場からの書き方にはなっていると思うが、男の立場での恋というものをきちんと考えて書いてみたらどうかな」

なかなか偉そうなことを言っている。

どこか微苦笑を禁じ得ないが、道長は押しも押されもせぬ権門勢家であり、『源氏物語』の主人公・源氏の基となったのではないかとされる人物のひとりでもある。

もしかしたら、いい話が聞けるかもしれない。

紫式部を見てみると、少しだけ笑っているような気がした。

道長の話、聞いてみようか。

「左大臣さまともなれば、そのような恋のひとつも経てきているのでしょうね」

弥生が水を向けてみると、道長は「まあね」と、まんざらでもないような顔になった。

意外と単純なのかも。

「きっと、物語のようなすてきな恋だったのでしょうね」

弥生が畳みかける。

紫式部と大納言が目を丸くしている。

どうやら〝小少将〟としては気になる行動だったようだ。

でも、仕方がない。

これでいい「ネタ」が手に入って、紫式部の創作意欲に火がつけば儲けものである。

それに、そこそこの年齢の男を言葉で持ち上げるのは、教授のご機嫌とりで少しはなれている。

もともとは苦手だし、馬鹿馬鹿しいと思っていたのだけど、人生、何が生きてくるかわからないものだ。

「ははは。そこまで言われたら少し話をしようかな」

「お願いします」

道長は小さく咳払いをした。

「相手がいることだからね。少し話をぼかすよ?」

「どうぞ」

道長は遠い目をした。

「あれは——そう。まだわたしが二十歳を過ぎて昇殿を許された頃だったかな」

「ほう」

「いまでこそ左大臣として大きな顔をしているが、もともとわたしは当時まだ右大臣だった藤原兼家の五男」

「存じています」

「普通に考えれば兄たちの下風に立たされて一生を終えてしまう。男として生まれて、それはどうにもつまらぬと日々悶々としていた」

「心中お察しいたします」

「その頃の帝は——」

「あのぉ。恋の話は」

と弥生が仕切る。

道長は少し嫌そうな顔をしたが、

「せっかくわたしが、いかなる天佑をもって今日の地位にまで登りつめたかを振り返ろうとしていたのに」

「それはまた今度。恋の話をお願いします」

大納言が卒倒しそうな表情になっている。

左大臣さまになんてことを、と思われているのだろうな。

でも、しかたがない。

時は金なり、である。


「――あれはわたしが昇殿を許された頃。だが、まだただの右大臣の五男でしかなかった頃なのだが、方違えで清水寺の近くで一夜をすごそうとしたときに、ふと隣の邸に藤の花が見事に咲いていた」

「まあ」

方違えとは、目的地が凶の方角にあるときにいったん別の方向へ出かけ、場合によっては一泊し、目的地が凶の方角とならないようにすることだった。

「その一枝がこぼれるように、あるいはわたしを誘いかけるように塀を越えて揺れていてな」

「ふむふむ」

「方違えの邸の家人に、藤の花の邸について聞いたところ、向こうもこちらに気づいたのか、藤の花を扇に添えて贈ってきた」

もちろんその扇には歌が書かれていたそうだ。

ただ、歌は忘れてしまったとか。

意味は「あなたはもしかして藤原家のお方では」くらいのものだったらしい。

「それで、どうなったのです？」

「なかなか雅なことをするなと思ったよ」

「ですよねぇ」

道長が怪訝な表情をした。

「小少将、妙な言葉遣いだな？」

「そ、そのようなことはありませんです。ほほほ」

「…………」

「ささ。続きをどうぞ」

道長が話を再開する。

「ものの話では、こういう都から離れたところに、輝くような美しい姫がいるものと聞いていたので、興味を持った」

「ふむふむ」

「何度か歌のやりとりをして、通うようになった」

まあ、と大納言が頬を赤らめた。

「ほう」と感嘆した自分とはだいぶ違うなと弥生は思った。

たぶん〝小少将〟なら大納言と同じような反応をしなければいけないのかもしれない。

でも、わたし、姫さまじゃないし。

道長の舌がなめらかになっていく。

「なよよかな、よい姫だった。黒髪は美しく、目つきはどこか悩ましげで。身も心も素直な女だった」

道長が微妙に生々しい描写をするものだから、大納言が赤くなっている。

それを見て楽しげにしているのだから、世が世ならセクハラで訴えてやるところである。

「すばらしい姫だったのですね」

と弥生が意味なく明るい声を出す。

道長の描写の、いらぬ卑猥さを払拭するためだ。

道長は少し眉をひそめたが、続けてくれた。

「左様。ずっと一緒にいたいと思ったのだが、ある月の夜のことだった」

道長がしんみりした表情になった。

何があったのだろう。

大納言も気になるらしく、弥生のほうに目配せをしてきた。

そのときである。

紫式部が不意に口を開いた。

「その邸から連れ出して、自らの別邸についたところ、もののけに襲われて儚くなってしまったのですね？」

「え？」

と弥生は紫式部と道長を見比べた。

もののけとは、目に見えない怪異の総称のようなものだ。

『源氏物語』にも六条御息所（ろくじょうのみやすどころ）の生霊というもののけが出てくる。

生霊とは、嫉妬や恨みなどの強い負の感情で、自らの魂の一部が暴走したもの、とでも言おうか。

六条御息所は源氏の愛人だったが、もともと高貴な生まれで東宮の恋人だったというプライドと、源氏より七つ年上ということもあり、どうしても気位の高い姿ばかりを源氏に見せていた。

そのうえ、結局は愛人のひとりでしかないというコンプレックスが複雑にからまって、六条御息所は生霊を生み出し、源氏の愛する人の命を奪っていく……。

百鬼夜行しかり、生霊しかり、このような闇が背中合わせだったのが平安の世というものだった。

そこまで考えて、弥生は眉をひそめた。

道長のいまの話が、『源氏物語』のある帖に酷似していると気づいたのである。

帖の名を「夕顔（ゆうがお）」という。


「夕顔」では、乳母を見舞いに行った源氏が、隣家の見事な夕顔を愛で、隣からも夕顔と歌を書いた扇が贈られる。

目立たない場所にひっそり咲いている夕顔のように、さみしげな邸に不釣り合いな美しい姫、身も心も素直でやさしい姫が、その扇を贈ったのだ。

やがて源氏とその姫、夕顔は結ばれるのだが、六条御息所の生霊というもののけに襲われ、亡くなってしまう……。

いまの話と大筋一致する。

「うん？　まあ、そうだな。――最後のいいところを先に言うでない」

と道長が紫式部に苦情を申し立てている。

その苦情を無視して紫式部は指摘した。

「その女の名は『大顔』。どこかの姫ではなく、雑仕女ですね」

あ、と赤染衛門と大納言が同時に言った。

弥生も――正確には弥生のなかの小少将の記憶が――気づいた。

「それ、道長さまの恋の話ではなくて、具平親王と雑仕女の恋の話ではないですか」

具平親王は村上天皇の第七皇子で、数えで今年四十三歳。

幼少の頃より勉学に励み、人柄もしっかりした人物と知られていた。

その具平親王が若き日に「大顔」という雑仕女に恋をした。

雑仕女とは、内裏などに仕える女の召人と言えばいいか。

女官、女孺、雑仕女の順で身分が下になっていく。

雑仕女は通常、無位であり、皇族である具平親王には会えない。

それがどういうわけか、具平親王は大顔を見いだした。

身分違いと言えばこれ以上はない。

具平親王は大顔を愛し、こっそりと連れ出したが、ある月の夜、もののけに襲われて死んでしまったという。

まさしく「夕顔」の基となった話であり、ゆえに具平親王もまた源氏の基となった人物のひとりともされている。

紫式部は「桐壺」以外は書いていない。

つまり、「夕顔」もまだだった。

もしかしたら、いまのやりとり、「夕顔」の執筆につながるかもしれない……。

道長は肩をすくめた。

「まあ、あれだ。女の身で男の恋を書こうとするなら、何もかもを想像で書こうとしなくてよいではないかということだ」

「はあ」

思わず気の抜けた声が出た弥生。

「実際の人物を下敷きにして書く方が、生き生きした人物になっておもしろいのではないかな。ははは」

そう言い残して、道長は逃げた。


道長は他人様（ひとさま）の——それも皇族の——恋の話を自分の「恋バナ」として去って行ったわけだった。

ただし、いろいろな意味で参考にはなった。

やはり道長は油断ならない、というだけではない。

「まったく。左大臣さまにも困ったものです」と紫式部が嘆息する。「人の手柄を自分の手柄のように語るだけでも卑しいと思われるだろうに、人の恋を自分の恋だと語るだなんて」

「ほんとね」と弥生はまず、頷いてみせた。「でも、ちょっとだけいいこと言っていたと思う」

「いいこと？」

「実際の人物を下敷きにして書く、というやり方。もちろん、そのまま書いては物語にならないけど」

　かんたんに言えば、「取材は大事だ」と言いたいのだが、平安時代に「取材」という言葉も考え方も、ない。

「そんなこととして、よいのでしょうか」

「よいと思います。『伊勢物語』だって在原業平さまを基に書いているのだし」

「そうね……」

「たとえばいまの具平親王と雑仕女の恋をさっそく下敷きにしたら、どんなふうになるかな」

　紫式部はしばらく向かって右上の中空を見るようにしていたが、やがて何かを思いついたふうに文机に向かった。

「何か、書くものがほしい」

と聞き取れないほどの小さな声で紫式部が言う。

弥生は部屋の隅の文箱を持っていった。

なかには筆があり、たっぷり磨った墨がある。

「どうぞ」

「用意がいいのね」

「集いの最中に、誰かが書きたくなったときのために用意しておいたの」

「ありがとう」

と紫式部が笑った。

ああ、推しの笑み。

こちらこそありがとうございますです。


推しの紫式部が、ついに目の前で『源氏物語』を執筆しようとしている。

内容的にはまだたたき台くらいのものかもしれない。

それでも、だ。

『源氏物語』を執筆する様子を目の当たりにできるなど、どれほどお金を払ってもなし得ないことではないか。

紫式部が筆を手に取る。

紙も、下書き用の木簡も、どちらも用意してある。

ところが、筆を硯の墨に浸したところで紫式部の動きが止まってしまった。

「やはりさっとは出てこない……」

大納言と赤染衛門が「そうですよね」とばかりに、ため息をつく。

弥生も仕方がないかなと思った。

メモや写真、動画などをとっての取材ではない。

いま、道長の話を聞いただけなのだ。

紫式部はがんばろうとしたが、むしろ顔色が悪くなってきている。

「あのぉ。勧めておいてなんですが、あまり無理しないほうが」

「……そうね」

紫式部が筆を置いた後ろで、大納言と赤染衛門があれこれと話をし始めた。

「桐壺」の続きはどんなふうな話がいいだろうか。

少し年月を戻して、源氏が元服するまではどんなふうに育ったかに興味がある。

子供の頃の源氏に想いを寄せる女童とかの、淡い恋の話も読んでみたい気もする。

云々。

弥生はやや焦った。

大納言たちの話している内容は、少なくとも現存する『源氏物語』にはまったく出てこない。

そんな寄り道をされて、結果として『源氏物語』の内容が変わってしまったら大変だった。

「あのぉ。もし書くのが大変そうなら、手紙のやりとりとかは端折らない？」

「え？」

と紫式部が驚いたように振り返る。

「手紙にはだいたい歌がつきもの。その登場人物ならこう読むだろうなという歌を考えるだけでも大変だと思う。だからもう、会って顔を見合ったところから始めてもいいのでは？」

ここまで言うと大納言のみならず、赤染衛門も顔を赤くした。

「小少将、さすがにそれは……」

思い切り引かれている。

自分でも頬が熱くなるのはわかった。

男女が顔を見せ合うのは、普通は契りを交わすとき。

天候その他の問題でそのときに顔が見えなかった場合は、共寝を過ごしたのちの後朝。

つまり、弥生は現代的に言い換えると「ベッドシーンから書きましょう」と言ったに等しかった。

「もうちょっと優雅になにかその、あってしかるべきでは？」

と姉の大納言が注文をつける。

しかし、紫式部は違っていた。

「――それでもいいかも」

え、と弥生たちの視線が糸を引いて紫式部に集まった。

「いままでまったく想像しなかった書き方ね」

彼女は蒙を啓かれた顔をしている。

あれ？　これはこれでよかったのか？

弥生は少し責任を感じた。

自分でも「劇薬」めいた発言だと自覚していたが、弥生も驚くほどの反応ぶりだ。

「む、紫式部……？」

「小少将、他にはどんな意見がある？」

「えっと……」弥生は少し軌道修正を試みた。「次の帖では源氏を一挙におとなにしてしまうのがおもしろいかなーって」

「ふむふむ」と紫式部が興味深げにうなずく。「『桐壺』では源氏の元服で終わってたけど、たしかにもう数年たたなければ『伊勢物語』の主人公のように恋のやりとりができないかもしれない」

「そうそう」弥生が激しくうなずいた。「読み手はきっと恋のやりとりとか、おもしろみの強いところをたくさん読みたいのでは？」

「なるほど」

鈴虫の声が耳に痛いほどだった。

「いろんな人が『源氏物語』を読んでいます。だったら、まずは宮中の描写はある程度いりますよね」

「そうなのですか？」

「だって、わたしたちみたいな女房でもなければ、内裏の後宮なんて入れませんから」

「あー。たしかにみなさん読みたいかもしれませんね。宮中の様子」と赤染衛門が小さく手をたたく。「亡くなった夫から宮中の華やかな様子を聞くのは、とても楽しみでした」

弥生は激しく同意した。

『源氏物語』は多くの人々に読まれる。

それは多くの社会的地位にまたがって読まれるということ。

もちろん上は、天皇だ。

下はどこまで広がったか……。

同時代人でわかっているのは地方受領の娘だった、女房名さえ伝わらない菅原孝標女。『更級日記』の作者である。

『源氏物語』が読みたくて願掛けに等身大の仏像を彫り上げ、全帖を入手できたときには「后の位だっていらない」と大喜びした少女だ。

未来まで視野を広げれば——ただの女子高生だった弥生まで。

いったい何人が『源氏物語』に魅了されたのか。

その魅了の力には、紫式部が描いてみせる平安宮中と貴族たちの雅なありさまが、たぶんに含まれている。

「もっといろんな人を出しましょう」

と弥生がさらに持ちかけた。

「いろんな人?」

「たとえば……赤染衛門さまのような、温かくて夫を大切にしてくださる方とか」

「あらあら」と赤染衛門が袖で口元を隠した。「わたしのような女は源氏と釣り合いませんよ」

「そんなことないと思いますよ？　源氏は幼い頃に母親を亡くしています。女性のもつ、母としての温かさをほんとうには知らなかったはずです」

「そういう男性は、ときとしてさまざまな女性への恋に身をやつすと聞いていますけど」と紫式部。

「そうです。そのなかである人は母の面影を求めて、ある人は確固たる愛を求めて、恋の苦しみのなかに自ら飛び込んでいく」

「――それが〝源氏〟」

と紫式部が深く考え込む仕草となった。

「わたし、思うんですけどね。そういう源氏だからこそ、ひとりくらいは温かで穏やかな母のような人と出会わせてあげたいなって。赤染衛門さまみたいな。でも、赤染衛門さまには申し訳ないのですが、見た目は絶世の美女とまでは行かないほどの方で」

弥生の頭にあったのは「花散里（はなちるさと）」だ。

見た目も趣味も地味ではあるが、恩愛の厚い家庭的な女性。

目立ちはしないがずっと源氏に寄り添い、源氏の子である夕霧（ゆうぎり）――実母の葵（あおい）の上は六条御息所の生霊に取り殺されている——の養育を任されるのである。

赤染衛門が笑った。

「ほほほ。どうぞお気になさらず。わたしは自分の器量で満足ですから」

弥生は恐縮して頭を下げた。

紫式部はますます深く考え込む目つきになっている。

「母の愛を知らない源氏が母の愛を探して、さまざまな女性との恋に身を焦がしていく……。だとしたら、赤染衛門さまみたいなやさしい方と対極にあるような、全身が恋でできているような人物も必要なのかな」

「それこそ、例の和泉式部のようなですか」

と大納言が尋ねた。

「そう」といったんうなずいて、紫式部は首を横に振った。「ああ、でもああいう形ではダメ。彼女が実際にそうかどうかはともかく、いま噂で流れているような形ではなく、もっと奥深くてもっと謎めいた、それでいてなよよかで、匂うような」

「そんな妖艶な女性、いるのでしょうか」

と大納言がもっともなことを言ったが、紫式部は突き進んだ。

「物語だもの。たとえれば」と紫式部は夜空を見上げた。「いま夜空に見える『朧月(おぼろづき)

夜』のような女性」

薄雲の向こうに丸い月が輝いている。

朧月夜だ。

雲のおかげで月光は、貝殻の内側のように散乱していた。

美しく、どこかなまめかしい。

弥生は心躍った。


朧月夜。

東宮の尚侍として出仕しながら、源氏と恋に落ちる。

しかも、彼女は源氏の政敵となる弘徽殿の女御の妹。

恋の情熱の激しい人物ではあるが、彼女との恋が発覚して源氏は都から須磨に流れていくことになる。

個人的には『源氏物語』全編を通して、もっとも色っぽい女性だと思っていた。

「さっきの話に少し戻るのですけど」と弥生がさらに口を挟む。「母親の愛に完全に満たされた、なんて思っている人って、男性でも女性でもほんとうにいるのかなって」

「うん？」と姉の大納言が眉をひそめた。姉妹としては聞き捨てならないと思ったのだろう。「それはどういう意味？」

「ほんとうは愛されているの。きっと」弥生が自殺未遂をしていたとき、母は見捨てないでくれたから、知っている。「けどそれは子供が見つけ出さないとわからないくらい自然で当たり前で。愛は目に見えない風みたいなものだから」

「風みたいなもの……」

「その風が見えるようになる鍵は、きっと有り難いと感謝することなのだけど。それができない人はいつまでも『愛されていない』『満たされていない』って彷徨うように思うの」

「なるほど」

と紫式部がまた興味深げにうなずいた。

鈴虫の声がずっと続いている。

＊　＊　＊

それから少しして、赤染衛門と大納言が出ていった。

紫式部は、難しい顔で顎を引いて考え込んでいる。

「わたしは楽しかったけど、紫式部はどうだった？」

と弥生が声をかけると、紫式部は微笑んだ。

「楽しかったよ。小少将がいろんなことを考えているというのもわかったし」

「ははは」

〝弥生〟としての意見を言いすぎたかも。

「おかげでわたしも学びになった」

「つたない話でごめんなさい」

「そんなことない。――小少将が言ったことも踏まえるなら、わたしが『源氏物語』を書く意味があるような気がする」

「え？」

弥生が聞き返すよりも早く――ほんとうに早く、紫式部が文机に向き直った。

筆をとる。

墨に浸す。

硯で筆先を整える。

紙の上に筆が移動した。

紫式部が、いよいよ書くのか。

すらりと背筋を伸ばした紫式部が紙を見つめている。
虫の音が耳に痛いほどに局に充満した。

どういうわけか、紫式部は動かない。
何かあったのだろうか。

小さな音を立てて、墨が紙に落ちた。
黒い点が白い紙を汚す。

紫式部がかすかに動いた。
いや、動いたと見えたのは見間違いだった。

彼女は震えていた。
紫式部、と言いかけた弥生の目の前で、彼女の身体が大きく揺らいだ。

筆が紙に落ち、黒く染める。

気づいたときには紫式部は横ざまに倒れていた。

「紫式部っ⁉」

目を閉じた彼女からは荒い息と痙攣じみた震えが返ってくるだけ。

大きな寺の勤行のように虫は鳴きつづけていた。

＊　＊　＊

翌日、紫式部と弥生は藤壺に出仕した。

一晩たってみれば紫式部は、けろりとしていたからだ。

「紫式部、今日は休まない？」

と弥生が聞いても、彼女は笑って答えた。

「大丈夫。もうなんともないし。それに自分の体調不良で休むなんて言ったら、周りになんて言われるか」

「わたしも一緒に休むから。ほら、わたしがまた倒れたことにすれば」

「ありがとう。でも、小少将がまた倒れたなんて聞いたら、中宮さまがお心を痛めるから」

紫式部は弥生を押し切った。

藤壺での紫式部を見ていると、昨夜のことが嘘のようだ。

普通に動き回り、普通におっとりとしゃべり、普通に笑っている。

「小少将。どこか浮かない顔をしているようだけど？」

と中宮彰子に咎められた。

「いえ。大丈夫です」

紫式部からは、内緒にしていてくれと言われているので黙っている。

彰子の話し相手になったり、碁や双六をしたりして、紫式部がひとりになれそうなときを弥生は待っていた。

「日がますます短くなってきますね」

と彰子が穏やかに言う。すでに西からの白い日が藤壺の奥まで射し込んでいた。

そのときだった。

紫式部が小さく一礼をして、彰子のまえから簀子へ出たのだ。

できる限りさりげないふうを装って、弥生も簀子へ出た。

すでに灌木から鈴虫の声が聞こえる。

藤壺の東、弘徽殿の渡戸のあたりで、弥生は「紫式部」と声をかけた。

このあたりは男も女も人通りが多い。

迷惑かなと思ったが、逆に逃げられまいと思ってもいた。

「小少将。どうしたの？」

「少し、話さない？」

弥生は空いている局に彼女を誘った。

紫式部はすんなりとそれに従う。

周りでは女房女官から殿上人までそれぞれ行き来しているが、局に入ると変に静かだった。

萩が美しく咲いている。

「話というのは、何？」

「それは――」

弥生が口ごもると、紫式部が小首を傾げた。長い髪が一筋垂れる。

ああそうだ。

この人はいつもこんなふうに、年上なのにどこか危なっかしい。

その危うさに共感して、愛し、推した。

それは、歴史上の紫式部――危ういながらも女としても作家としても天命を全うした、評価が定まった人物の危うさだから、ただ見ていられた。

いまは違う。

この人は危なっかしい。

かつての弥生自身のように。

「昨夜のことなら、気にしないでね。わたしも久しぶりの出仕で疲れたのよ」

そう。こうやっていつもごまかしてしまう。

子供の頃は父に「男の子だったらよかったのに」と言われ。

いやいやながらの出仕初日からいじめに遭い。

漢字の「一」も読めない女を演じながら。

この人は黙ってしまう。


でも、倒れるなんて普通じゃない。


どうしたら、紫式部に話してもらえるのだろう。

どうしたら、「あなたの気持ちがわかるよ」と――いや「わかりたいんだよ」と伝えられるのだろう。

考えて、思いつかなくて、気づいたら目頭が熱くなっていた。

気づいたら、叫んでいた。

「嘘つき‼」

弥生は、こみ上げてきた言葉を無心に吐き出した。

「小少将……？」

弥生の目から涙が流れる。

それを拭うこともせずに、弥生は続けた。

「あんなになるなんて普通ではない。あなたはわたしを友達と言ってくれた。あなたにとって、友達は隠し事をする相手なの？」

「それは――」

紫式部が口ごもる。

「わたし、あなたが看病してくれてとてもうれしかった。なのに、あなたは自分のことはずっと隠してるの？　わたしには、あなたの心配すらもさせてくれないの？」

もう作戦もなにもありはしない。

推しへの遠慮もなにも飛び越えてしまう。

感情が高ぶって、弥生は紫式部の衿を摑んでいた。

紫式部の衿を飾る緑と蘇芳(すおう)の目立つ黄菊の襲色目を、弥生は揺さぶる。

紫式部の心にまで届けと揺さぶる。

「小少将――」

「『源氏物語』、書かなくてもいい」心のままに出てきた言葉に弥生は驚きつつも、いまは自分の感情の瀑流(ぼうる)に任せた。「だけど、あなたがなにに苦しんでいるのかは教えてよ」

弥生の心が宿っている小少将の身体は小さい。

その小さな身体で、紫式部に娘のように取りすがった。

「ごめんなさい」

と紫式部が弥生の髪をなでた。

まだ届かないのかと弥生が紫式部を見上げる。

三十歳前半という紫式部の肌は、もっと若く見えた。

「紫式部……」

年の差か、知識量の差か。

なにが届かないのだろう。

しかし、それは弥生の勘違いだった。

「ダメなのよ」

彼女は小さく首を振った。

「何が？」

紫式部の両目に涙が溜まる。

言葉よりも先に涙のしずくがあふれ出た。

「わたしはもう……。どんなに書きたいと思っても、筆を執ろうとすると、身体がそれを拒絶してしまうの」


そう言って紫式部は泣き崩れた。


弥生も、昨夜の彼女を見ていなければ信じられなかったかもしれない。

『源氏物語』という長大な物語の作者、千年以上にわたって読み継がれる栄誉を与えられる彼女が、物語を書けなくなっているというのだ。

嘘だ、と感情が否定する。

しかし、紫式部がそのような嘘をつく人ではないのは、もうわかっている。

もし、それがほんとうだとしたら――弥生がこの世界に来てからの疑問に対する答えがあっさりと出てくる。

どうして、文机がなにも使われていなかったのか。

どうして、文箱にうっすらほこりが溜まるほどに手がつけられていなかったのか。

どうして、紫式部は物語からひたすら距離をおこうとしていたのか——。

物語を書こうとすれば、身体がそれを拒否してしまう……。

それは、「書く人」である彼女にとってどれほどの苦痛か。

弥生は、紫式部の涙が収まるのを待って——自分の涙もそのあいだには収まってい
た——静かに尋ねた。

「いつから、なの？」

「それは……」

「大丈夫。ゆっくりでいいよ。わたし、ぜんぶ聞くから」

外のざわめきも虫の声も何もない。

紫式部はぽつぽつと語り始めた。

＊　＊　＊

「桐壺」は、大勢の人から称賛された。

もともと気心の知れた仲間内で書き始めたものだったのは、先に述べたとおりだ。

いつしかその物語が、仲間内の枠を越えた。

どのような縁起を経てか、天皇にまで「桐壺」は伝わった。

女房が読み上げる「桐壺」を聞きながら、天皇はこう言ったという。

「この作者は日本紀をずいぶん勉強しているようだね。それに漢文の素養もかなりのものだ」

紫式部は彰子に仕えているし、彰子の母の源倫子とは再従姉妹の関係ではあるが、実家は一地方官でしかない受領階級の娘だ。

そのような身分の彼女が、突如、天皇から言葉をいただき、権力者である藤原道長に招かれた。

日々変わりばえせず、毎月の宮中行事をこなすだけになっていた後宮の女房たちには格好の〝ネタ〟だった。

紫式部は、冷酷なまなざしと皮肉めいた嘲笑とわざとらしいほどの無関心に出迎えられた。

　これも、先に述べたとおりだ。

　結果、五カ月もの出仕拒否となるのだが、それほど長く実家に籠もるほどに彼女は混乱していたのだ。

「もともと『桐壺』は夫に死なれた悲しみから立ち上がるために書いたもの。自分のために、自分の心を癒やすために、自分自身だけを読者として書いたものだったのに」

　多くの人の心を引きつけた「桐壺」を書ける紫式部。

　それは彼女の心の繊細さを表している。

　日本紀や漢学の知識をいくら集めても「桐壺」には結実しない。

　そこに「紫式部」という、繊細な感性とそれを言葉にする知性、叙述をまとめ上げる理性、人の運命を見つめる神仏のまなざしのような悟性があってこそ成立したのだ。

　だが、そのなかでも繊細な感性は、受けた人の悪意を何倍にもふくらませて彼女の心にひっかき傷を残した。

　自分のために、あるいは身近な人のためにだけ書いたはずの「桐壺」が、自分の手を離れ、多くの人の思い思いの——場合によっては身勝手ともとれる——解釈を施され、いろいろな評判を伴って返ってきた。

自分の「桐壺」は、いつのまにかみんなの「桐壺」になり、自分を傷つける「桐壺」となって返ってきたのである。

「贅沢な悩みだと多くの人は言うかもしれない。主上に褒められ、中宮さまの女房に取り立てられたのだから、そのくらいのことは我慢しなさい、と。でも、わたしは――主上に褒められたくて『源氏物語』を書いたのではない」

悪意が彼女の心をさいなむ。


「不敬の物語だ」

「唐(とう)の玄宗(げんそう)皇帝と楊貴妃(ようきひ)のように、この国の政(まつりごと)を傾かせようとしているのか」

「だいたい女だてらに主上をあげつらうような物語を書くのがおかしい」

「自分の知識に酔っているだけだろう」

深く考えもしない、それゆえに加減を知らない悪意の言葉が積み重なっていく。


紫式部は「一」も読めない振りをして、やり過ごす道を選んだ。

ところが、逆に善意による過度な期待がのしかかる。

悪意を無視できても、善意を無視するのは難しい。

紫式部の繊細さは本質的なやさしさでもあるから。

周りの人々は無邪気に口にする。


「このあとどうなるのか」

「続きはどうなるのか」

「これ以上のすごい話を書くのだろう」

と善意ゆえに勝手な期待をかけてくるのだ。


期待に応えようとすれば、自分は〝「一」も読めない女〟を捨てなければいけない。

やっと周りに溶け込めたというのに。

また孤独な宮仕えの地獄に戻れというのか……。

期待を無視すれば――それは紫式部としての敗北のみならず、「桐壺」という物語の敗北――夫を失った悲しみから自分を立ち直らせてくれた物語という存在の敗北へとつながってしまうような恐怖だけが残ってしまう。

周囲の想いに翻弄され、ついには文字を書こうとするだけで倒れてしまうようになってしまったのだ。

＊　＊　＊

弥生は紫式部の手を取り、なでながらじっと耳を傾けていた。

「紫式部……」

「もちろんあなたがわたしの友達でいてくれるのはわかっている。けれども――やっぱり怖い」

「…………」

これを考えすぎだと言える人は、きっと幸せな人なのだと思う。

両極端な、人の勝手な意見に翻弄されない、自分がしっかりある人なのだろう。

「ロバを売りに行く親子」の話がある。

ロバを売りに行く道中、通りすがりの人に「せっかくロバがいるのに二人で歩いているなんてもったいない」と言われる。

なるほどと、息子をロバに乗せていたら、別の人に「父親を歩かせるなんて、何という親不孝者か」と言われる。

そうかも知れないと父親がロバに乗れば、「子供を歩かせて悪い親だ。ふたりでロバに乗ればいいのに」と言われる。

それではとふたりでロバに乗ったところ、「ロバを虐待している」と言われる。

とうとう親子はロバを背負って歩き出した……。

こうして聞けば笑い話に聞こえるが、現実の社会でもいたるところにある。

いま、紫式部がその蜘蛛の巣のような世間さまの身勝手な意見でがんじがらめになっていた。

紫式部が生気を失ったように、落ちる紅葉を見つめている。

「……あの物語はやはり失敗だったのかな」

「そんな……」

「こんな目に遭うくらいなら、夫が死んだときにわたしも一緒に死んでしまえばよかった――」

「そんなことないっ」弥生は声を張った。「あの物語は多くの人に読まれた。その人たちを楽しませた。喜んでもらえたのよ？」

「喜んでもらって、今度は好きに叩かれる。それまでわたしが引き受けろというの？ ただ自分のために物語を書いただけなのに」

わたしは、と弥生は一瞬だけ言葉に詰まった。

〝小少将〟にこの経験があっただろうか。

けれども、わたしは、〝弥生〟は――。

「わたしは、あなたが書いた物語に命を救われたの」

紫式部が目をこれ以上ないほどに見開いた。

「小少将……？　何があったの」

思わず出た涙を、弥生はおよそ上臈女房らしくない——現代の普通の仕草で乱暴に拭ってごまかす。

「——紫式部。書きたいことがあるんでしょ？　昨夜は書こうとしたでしょ？」

紫式部は再び顔を歪めた。

「書けばお高くとまっているとバカにされるとわかっているのに、あんな苦しい思いをして、どうして書かなければいけないの？」

「わたしはあなたをバカにしないっ」弥生は再び紫式部に取りすがった。「わたしがあなたの書いた物語を読みたいの。それじゃ、ダメ……？」

弥生は自分の声が再び湿っているのに気づいている。

「——紙の無駄よ」

紫式部は弥生から目をそらして、唇を噛んでいた。

「紙なんて……たしかに高級品かもしれないけど、道長さまにいくらでも持ってこさせればいいのよ。いくら書き損じても、納得するまでやれば――」

「だから、書けないっていってるのよッ」

紫式部が弥生の腕を振り払う。

「あ……」

気持ちが先走っていた、と思ったときには遅かった。


紫式部が泣いていた。

悔しくて、悲しくて、どうしようもなくて――紫式部が泣いている。


「仮に書けたとして書くのは結局、わたしなのよ⁉　あなたが何をしてくれるっていうの？　横で見ているだけでしょ？　筆を持つ手が痛いのも、酷評されて心が痛いのも、ぜんぶわたしだけにのしかかってくるのよ？」

「…………」

紫式部が乱れた衣裳を直し、簀子へ出た。

「――熱で倒れてから、小少将は変わってしまったの？」

弥生は何も答えられない。

紫式部の薫香が遠ざかっていくのを、ただうつむきながら見送るしかなかった。

＊　＊　＊

弥生はしばらく局から動けなかった。

……ずっと『源氏物語』を読んできた。

彼女が残した『紫式部日記』も歌も読んだ。

紫式部に関する資料をずっと研究してきた。

紫式部という女性は、論理的思考というよりも、渦巻きのような思考を持った人だと思った。

不遜かもだけど、自分と似ているかも……。

いじめられた過去の弥生の経験などから、紫式部の繊細さがわかると思った。

でもそれはひどい思い上がりだったと、いまは思う。

勝手に〝推し〟にして、勝手に〝推し〟の気持ちをわかったつもりになって、肝心の〝紫式部〟を見ていなかったのではないか。

どっと疲れが出た。

いったいわたしは何のためにここにいるのだろう。

ひとりで空回りして、紫式部を傷つけて。

ゼミのみんなはどうしてるかな。

ときどきパワハラセクハラじみた振る舞いの教授は、相変わらずなんだろうな。

塾講師のアルバイトはどうなったかな。

お父さんとお母さんは、わたしがこんなふうになってるのを知ってるのかな。

……元の世界が恋しい。

＊　＊　＊

「誰かと思えば小少将ではないか。珍しいな。弘徽殿の局にひとりとは」

見れば左大臣・藤原道長が、弥生がひとり残された局の簾(すだれ)を持ち上げてこちらを覗き込んでいた。

道長は参内のための黒い束帯姿である。

「左大臣さま」

と祖扇を使いつつ見上げれば、道長がぎょっとしたように、

「泣いているのか？」

「目にゴミが入っただけです」

道長の表情はよくわからないが、彼はそのまま局の前の簀子に座った。

上等な薫香がにおう。

「すっかり葉が色づいてきたな」

「そうですね」

「女というものは身体を一度損なうと、ときとして後を引くとも聞く。まあ、わたしも飲水病を持っているから人のことは言えないけどね」

道長がゆったりと話している。

気遣ってくれているのが、わかった。

「体調は、悪くないと思います」

「はたしてそうだろうか」

道長は冬の庭を眺めている。

「――」

弥生は黙っていた。

道長は束帯の懐から、男が使う檜扇（ひおうぎ）を取り出すと、閉じたり開いたりを繰り返した。

「おぬしはわたしの妻の姪。義理とはいえわたしは叔父だ。多少は話をしてくれてもいいのではないかね？　これでも一応、なまぐさい政の世界で生き残ってきた自信はあるのだが」

「左大臣さま……」


どこまでこの人は知っているのだろう。

紫式部が書けないことは知っているのだろうか。

わたしがほんとうは〝小少将〟ではないと気づいているのだろうか。

藤原弥生という人間ははるか千年未来からやってきたのだと言って受け入れてくれるだろうか……。


弥生が道長の真意を測りかねていると、さらに道長が言った。

「まあ、わたしに話しにくいというなら、妻のほうにでも構わないのだが」

道長なりのやさしさなのだろう。

ほんとうはなにも知らないけど、放っておけないと思ってくれたくらいかもしれない。

それでも。

信じてみよう——そう弥生は思った。

「倒れて眠っているときに、不思議な方が夢に現れたのです」

「ほう」

「『紫式部の物語は好きか』と言われて、『はい』と答えました。するとその不思議な方は、『紫式部を助けてあげて』と頼んできたのです」

その不思議な方こそ本物の小少将なのだが、それは言わない。言えない。

「さてもさても」と道長は繰り返した。「夢に神人が出たか。それとも観音菩薩か。紫式部を助けてくれ、か」

「はい」

「紫式部がそれほどの物語書きであったとは」

と、道長が唸っている。

「でも、わたしはどうしたら彼女の力になれるのか――それがぜんぜんわからないのです」

道長は檜扇を閉じ、あっさりと言った。

「無理だろう」と。

「無理？」

弥生は少しイラッとする。

やっぱりこの人、いい加減なだけなのではないか……。

その気持ちが目元に出たのか、道長は笑った。

「ははは。誰しも他人の心は変えられないからだよ」

「『他人の心は変えられない』……」

あたりまえである。

けれども――忘れかけていた、と思った。

「もし人の心が変えられるなら、わたしはこんなに苦労しないで左大臣になれたはずさ」

「では、どうすれば」

「利をちらつかせたり、情に訴えたり。押したり引いたり。なんでもやってみるのだよ」

「はあ」

「そうしてあれもダメ、これもダメと行き詰まって嫌になったときに――変わるのさ」

「変わる？」

道長がにやりとした。

「ああ。自分の心が、変わるのだよ」

意外な答えだった。

「自分の心……」

　相手の心ではないのか。

　その弥生の気持ちを見透かすように、道長が続ける。

「相手の心は変えられない。けれども自分の心なら変えられる。そんな話を聞いたことはないか」

「あります」

「それがくせ者なのだよ」

　と道長は檜扇で自分の膝を軽くたたく。

「はあ」

「相手の心を変えようとして自分の心を変えることは、結局、相手の心を変えようとしているだけなのさ」

「あ」

「あるいは、自分の心を変えたのだから相手の心も変わるはずだと考えれば、これはただの取り立て。相手の心はますますかたくなになる」

「ああ……」

　道長がにやりとした。

「よくやってしまうだろ？」

弥生はうなずいた。

身に覚えがありすぎる。

というより、まさにいまの自分にぴったりではないか。

「では、どうしたらいいのですか」

「だから言っただろ。自分の心を変えるのさ」

「…………」

堂々巡りに入ってしまいそうだった。

「神人か観音かは知らぬが、その頼みは横に置いて考えてみるのだな」

「何を考えるのですか」

道長が立ち上がる。

「自分はどうして紫式部を助けたいのか、さ」

「助けたい理由、ということですか」

「そう」

「…………」

日本の古典の歴史のため、とは言えないし、道長に追い出されないため、とも言えないし……。

道長が右頬を持ち上げるようにしながら、

「最近、『源氏物語』がなかなか進んでいないな」

「それは――」

弥生の背中に嫌な汗が流れた。

「それならそれでかまわないと思っている」

「え？」

「まあ、主上が中宮さまに寵愛を傾けてくださるようにと『源氏物語』を書かせようとしたが、なにぶん人間のすることだからな。行き詰まるときもあるだろう」

「………」

「わたし個人として読みたい気持ちは山々だが、無理強いしてもよいものは書けないだろうし」

「でも、放っておいてよいとも思えないのですけど」

道長が小さく何度もうなずく。

「だから、自分の心を変えるしかないのだろうよ」

「はあ」

「あとはもう、祈り倒すしかないな」

それに助けないでもいいではないか、人は勝手に自分で助かるものだからな、と道長は皮肉めいたような言葉を残して簀子を去っていった。

道長と入れ替わりになるように、大納言が局をのぞいてきた。

「ああ、よかった。ここだったのね」

「姉さま」

「なかなか帰ってこないので、中宮さまが小少将を捜してくるようにとわたしにお命じになったのよ。道長さまの後ろ姿が見えたので、もしかしたらと思って見てみたのだけど」

大納言が、眉を八の字にして弥生を叱る。

〝弥生〟のほんとうの姉ではないのだが、心が温かくなる。

それはきっと、大納言が打算なしに弥生を――妹の小少将を心配してくれているからなのだろう。

先ほどとは違う涙がこみ上げてきた。

「姉さま……」

「あら、どうしたの？　泣いているの？」

大納言が心配する。

「泣いてなんていません」

「ほんとう？」

　はい、と目尻を押さえて咳払いをすると、弥生は話題を変えた。

「姉さまは、このまえの『伊勢物語』の習作、楽しかった？」

「楽しかったわよ」

「よかった」と弥生は微笑んだ。「姉さまの習作、すごくよかったと思うし」

「ふふ。ありがとう」

「姉さまは、自分で物語を書かないの？」

　現代には、大納言の手による物語は伝わっていない。

　けれども、彼女が物語を書かなかったかどうかは、わからない。

「そうねえ」と大納言は頬に手を当てた。小柄な彼女がそんな仕草をすると、ひどく女童じみてかわいらしい。「たまにああいうのを書くのは楽しかったけど。でも、物語全体を空想するなんてできないもの」

「そう？」

「それにわたしはしゃべっているほうが楽しいし、楽だし」

　大納言の言うことはわかる。

　弥生は『源氏物語』や紫式部を研究しようと思ってずっと読み込んできたが、自分自身が同じくらいの長編の物語を書こうとは思わなかった。

二次創作的な多少の加筆をしてみたいと思って、同人誌は作ったけど。

『源氏物語』のようなすばらしい長編物語は、たとえてみれば精緻なシャンデリアのようで、全体として美しく、部分も美しい。

一部に手を加えようとすれば全体の調和が損なわれてしまうような、統合された美がそこにあるのだ。

だから、大納言の言葉に弥生もうなずいた。

「わたしも同じ。だからこそ、物語を筋道立てて空想でき、それを紙に落とせる紫式部は類い稀な人だと思う」

大納言は一度うなずき、急に笑顔になって弥生の肩をたたいた。

「紫式部が何かに悩み、物語の筆が止まっているみたいなのはわたしも気づいてた」

「姉さまも?」

ちょっと驚いた。

おっとりしている大納言だが、ちゃんと心配するところは心配してくれていたのだな。

「もちろんよ。わたしをなんだと思っているのですか」

「へへ」

ほんとうの姉とのやりとりのようで、少し楽しい。

「紫式部が悩んでいても、友達のあなたやわたしまで落ち込んではダメでしょ？」

「はい」

姉なりの気遣いだった。

「来月は五節（ごせち）などの行事があるから、その行事の成功を祈念しに清水寺へ明日参詣しようと思うのだけど、小少将もどう？　気持ちがほぐれるかもしれないし」

「そんなにたびたび内裏から出ていいの？」

大納言は声をあげて笑う。

「あはは。いま藤壺から勝手に出ていて、何を心配するの？」

「そうでした……」

こうして小少将は、清水寺に参詣することになった。

＊　＊　＊

清水寺は正式には「音羽山（おとわさん）清水寺」と称する。

もとは、平城京に栄えた南都六宗のひとつ、法相宗（ほっそうしゅう）の流れを汲む寺だった。

東国平定で名高い坂上田村麻呂（さかのうえのたむらまろ）と縁深く、彼が寺社を賜り、さらに嵯峨（さが）天皇から公認の寺となった。

真言宗・法相宗兼宗の寺であり、縁日には非常に賑わうという。

大納言と弥生たちが参詣に訪れた日は縁日ではなかったが、それでも幾人もの貴族や女房たちが清水寺の観音菩薩の功徳にあずかろうと、寺を訪れていた。

「やはり清水寺はよいところね」

と大納言が牛車から外をのぞいて嬉々としている。

この牛車には大納言と弥生しか乗っていない。

「あのぉ。姉さま。わたし、観音さまにぜんぜん違うことをお願いしてもいい？」

「ぜんぜん違うこと？」

「紫式部が『源氏物語』を書けますように、って」

ちょっと怒られるかなとも思ったけど、大納言はあっさりうなずいた。

「いいのでは？」

「え。いいの？」

弥生のほうが驚いた。

「諸願成就の観音さまだと思うし。そもそも、紫式部のことが心配で、他のお祈りなんてできないでしょ？」

「うん……」

「行事の成功は、あなたのぶんまでわたしがしっかり祈っておくから」

「ありがとう」

「いいのよ」

よい姉であり、よい人だ、と思う。

「姉さまは、源氏ってどんな人だと思う？」

「そうねえ……。遠くで見ているのはいいけど、近くにはいてほしくないかも」

「そうなの？」

「万が一恋したりしたら大変なことになりそう」

まだ『桐壺』しか出ていないのに、そう直感するのだから大納言は鋭い。

「なるほど……」

「遠くでは思い切り光っててほしいのだけどね」

牛車が止まった。

降りて参詣しようとしたそのときである。

向こうで狩衣姿の若い貴族たちが、笑い合いながら参詣にやってきた。

笑い合うというより、浮かれ騒ぐといっていいほどに、騒々しい。

およそ、神仏のまえに自ら謙虚に頭(こうべ)を垂れようという雰囲気ではない。

「あなやあなや」

「さこそも」

「いじみくもあるかな」

ひとつひとつは意味のない単語をわめき立てている。

その有り様は「ヤバい」「エグい」を連呼する、現代の男子高校生を連想させた。


『藤原、おまえが好きらしいぞ』

『エグいって』

『××は地味メガネが好きじゃないってよ』


騒ぐ貴族たちに、かつての失恋といじめの記憶がなぜか重なってくる。

胸が苦しい。

呼吸の仕方がわからなくなってくる。

大納言が心配してこちらを覗き込む。

「小少将。どうしたの。急にはあはあ言い出したけど」

「……大丈夫」

あいつらがここにいるわけがない。

ここは平安時代なのだ。

けれども、この、心をざらつかせ、引っかかれるような感覚はなんだろう。

弥生が何とか牛車から降りたときだ。

貴族どもが不意に歓声じみた声を発しかけ、慌ててのみ込んだ。

「おい、あれ」

とそのうちのひとりが言う。

自分のことではないよな、と弥生が相手の視線を窺えば、貴族たちの視線はいま参詣を終えて出てきた女房装束の女性に注がれていた。

彼女は、衵扇で顔を隠しているのに、匂うほどの色香だった。

同じような唐衣を着ているのに、柔らかな身体の線が浮き出て見えるよう。やや伏し目がちのまなざしがあでやかだった。

「いと美し」と若い貴族たちがため息のように賛嘆の声を発する。

その女性の姿が、また弥生の心のかさぶたを乱暴に剝ぎ取った。

『藤原さあ、××くんの周り、うろうろしてるのはなんで？』

『自分の顔、鏡で見たことある？　それで××くんが好きって、失礼じゃね？』

弥生の呼吸が鴨川(かもがわ)の川音のように早くなる。
目のまえが暗転した。
「小少将っ」
姉の声が遠い。
身体の感覚が消失した。
向こうの貴族たちは他人事の顔で、倒れる弥生には気づかなかった。

第三章　綴れぬ物語

弥生は目を覚ました。

梁（はり）が丸見えの天井は平安時代の建物の特徴。

内裏以外にはまだ天井は普及していないからだ。

ああ、自分はまだ〝小少将〟なのだな。

寝かしつけられているのも〝小少将〟となったときと同じ、左大臣・藤原道長の土御門第の自分の局だ。

なんであんな嫌な思い出が、いまさら自分をさいなんだのか……。

考えるだに恐ろしい、嫌な記憶に再び沈殿しそうになった弥生を呼び止めてくれたのは、「目が覚めた？」と問いかける姉の大納言の声だった。

「……姉さま」

「びっくりした。急に清水寺で倒れてしまうのだもの。もののけの仕業かと思ってご祈禱を頼もうかとしたのだけど、朦朧としながらあなたが『そういうのはいい』というものだから」

そんなことを言っていたのか。

まったく記憶にない。
風が吹いて紅葉がはらはらと落ちる音がした。
「大丈夫ですか」
と顔をのぞかせたのは、紫式部だった。
「紫式部……」
「清水寺で倒れたと聞いて、慌てて飛んできました」
弥生は苦笑した。
推しがやさしい……。
いや、推しではなく、友達なのだ。
紫式部はどこまでもよい友達なのである。
勤め人としてのよい女房ではないかもしれないけど。
「大丈夫」と弥生は上体を起こした。
だが、目のまえの光景に、思わずもう一度気絶しそうになった。
先ほど、清水寺で見かけた女房――匂うほど女らしい女房が足元に座っていたのだ。
あ、と自分の血圧が下がっていくのがわかった。
「大丈夫ですか」とその女性が気遣う言葉を発した。
やや高めでありながら、しっとりした大人の女性の声。

弥生の暗い思い出のなかにいた同性のいじめっ子の、人を見下すような低い声とはまったく違っていて、その差異への驚きが弥生の意識をつなぎ止めた。

「すみません……。失礼ですが、あなたさまは――？」

すると彼女は〝小少将〟にも〝弥生〟にも意外な名を名乗った。

「越前守（えちぜんのかみ）・大江雅致（おおえのまさむね）の娘で、和泉式部という名で呼ばれています」

「あなたが」

と言ったきり、弥生は言葉が出なくなった。

「恋多き女」和泉式部なら、あのあふれかえるほどの色香も納得である。

和泉式部がおろおろした。

「ああ。まだ具合が悪くていらっしゃるのですね」

「あ、いえ、大丈夫です。ほんとに」

和泉式部が上目遣いに微笑む。

「よかった」

たったそれだけなのだが、ひどく甘い。

絶世の美女というよりも、美しく愛らしく、どこかいじましい。

たった一言で、心底、自分を案じてくれているという気にさせてしまう。

和泉式部。

恋多き女。

臈長(ろうた)けたまなざしや微笑みや仕草や言葉遣いや声色は、弥生のような同性にも効いてしまうのか。

そのあまりの魅力に、弥生はかつて自分を傷つけた女子のことを、忘れた。

「わたしこそ、失礼しました」

第一印象はたしかに華やかで、現代でいうリア充とか陽キャとかそういう雰囲気だったが、やはり他人だった。

弥生は白湯を頼んだ。

紫式部が取りに行く。

弥生はじっくりと和泉式部を眺めた。

土御門第の紅葉を切り抜いたような姿だ。

あでやかで、絢爛としていて、人目を引くのに、目立たない静かなところがあって、どこかさみしい。

見れば見るほど、高校時代のいじめっ子とは違っている。

違っているのに、百の違うところがあるのに、一の似通った雰囲気のところに、人は自分の傷を甦(よみがえ)らせてしまう。

……紫式部もきっと同じように傷を負っていて、いま筆がとれないに違いない。

*　*　*

初恋は美しい？　麗しい？

何かそういう格言めいた言葉があったような気がするけど、弥生にはそういう気持ちは毛頭ない。

思い出したくない——これに尽きる。

可能なら、初恋のやり直しをしたい。

何十年かして還暦くらいになったら、いい思い出だと言えるのだろうか。

ただ遠くから眺めていればよかった。

でも、たまたま撮れた人気者の彼、××先輩の写真を、クラスメイトの女子に見られてしまった。

「黙ってて」とお願いした。

わかった、とその子は言った。

わたしたち、友達だもん。

……弥生は信じた。


しかし、翌日にはクラス中に知れ渡っていた。

それどころか、その日の放課後にはその彼が数人の男子と共に弥生を呼び出した。

『きみにそんなふうに思われても、迷惑だから』

周りの男子たちは、笑って騒いでいた。

『かわいそうじゃんかよ』

『ひでえな、××』

そのときはじめて、「ああ、わたしはかわいそうなんだ」「××先輩は、ひどい人なんだ」と思った。


それで終わらなかった。


翌日から、ずっとその先輩とその友人は、弥生を見るたびにわざとらしくにやにやと笑い、ときにあからさまに冷やかした。

『藤原、おまえが好きらしいぞ』

『エグいって』

『××は地味メガネが好きじゃないってよ』

さらに、××先輩を好きなクラスメイトの女子たちから睨まれるようになった。
『藤原さあ、××くんの周り、うろうろしてるのはなんで？』
『自分の顔、鏡で見たことある？　それで××くんが好きって、失礼じゃね？』
低く、それなのに高圧的な声で、女子たちが詰め寄ったり、バカにしたりした。

女子が終われば男子が、男子がいなくなれば女子が、弥生の淡い想いをいじくり続けた。

毎日、毎時間、すべての休み時間、ずっとだ。
誰も助けてはくれなかった。
最初に写真を見た友達からは、とっくに距離を置かれていた。
弥生は心が折れた。
人を好きになるなんて、ばかばかしい。
何もかも、疲れた——。

学校に行くのをやめた。

部屋から出るのもやめた。

リストカットを、始めた。


白湯が来た。

ふうふうと息を吹きかけながら、弥生は紫式部を見つめる。

いまはまだ「桐壺」しか書いていない『源氏物語』の作者は、どこか自信のない、線の細い女に見えた。

以前も同じような印象を持った。

リストカットのじくじくした痛みを無感動に感じながら、母がせめてもの気晴らしにとくれた『源氏物語』のマンガを読んでいた当時のことである。

そのとき、ふと弥生は考えた。

『源氏物語』は、紫式部の理想だったのか。

違うと思う。

理想を描くにしては女の数が多すぎる。

それに紫式部はたぶん源氏のような男には、なびかない。

『源氏物語』は、女房として働くための単なる生活の糧だったのか。

これも違う気がした。

たしかに物語の才能を認められて、紫式部は出仕するようになる。

家族を支えなければいけなかったからだ。

しかし、口を糊するためだけに書いた物語が、千年以上残ろうか。

『源氏物語』は、あくまでも自分の慰めだけに書いたのか。

最初はそうだったろう。

しかし、天皇の気を引くために、という理由付けがすでに事実上の雇主たる道長には、ある。

紫式部ひとりのものとするには、『源氏物語』は巨大になっていくのだ。

その紫式部はといえば、こんな歌を詠んでいる。
めぐり逢ひて　見しやそれとも　わかぬ間に
雲隠れにし　夜半の月かな

——久しぶりに逢えたのに、あなただとわかるかどうかのわずかな間にあわただしく帰ってしまった。まるで雲間に隠れてしまう夜半の月のように。

百人一首の第五十七番にある紫式部の歌だ。

『源氏物語』という長大な恋の物語を書いた紫式部なのに、百人一首に選ばれた歌は恋の歌ではない。

『新古今和歌集』に収められた、幼なじみの友達との邂逅（かいこう）の短さを嘆く歌だった。

引きこもって時間がある弥生は、紫式部を、その人生を調べ始めた。

そして、驚いた。

子供のときに「男の子だったら」と言われた悲痛は、いかほどだっただろう。

出仕して冷たく迎えられたときの屈辱は、いかばかりだっただろう。

三十歳すぎという年齢で、心ならずも「一」も読めない、ものを知らない女を演じる決意は、どこから生まれてきたのだろう。

このような人が書いたのが『源氏物語』なのだ。

百人一首にある紫式部の歌を、弥生は何度も振り返った。

友もなく、自分の創作物も自由にならない。

……なんて孤独なんだろう。


いま目の前にいる紫式部を見て、あらためて思う。

彼女は孤独で、物書き特有の繊細さにあふれていて、宮中に生きるには感じやすすぎて、表裏がない。

ふと、古典の世界で彼女のライバルとされる清少納言のことが頭をよぎった。

清少納言は、すでに宮中にいない。

しかし、彼女が書いた『枕草子』は残されている。

『枕草子』の内容を一言で言えば、それは〝定子賛歌〟だ。

自分が仕えた皇后宮・定子はこんなにもすぐれていた。

こんなにも美しかった。

こんなにも定子の周りは機知に富み、いつも笑いに溢れていた――。

弥生は『枕草子』も嫌いではない。

しかし、そこに無邪気な嘘を見る。

一方的に定子を称え、いまは亡き定子をきらびやかに見せるために、定子や清少納言の苦悩する姿は極端に少ない。

定子の死さえ、描かれていない。

それは「大好きな定子さまの思い出をずっと愛でていたい」という清少納言の心の引きこもり。

人生はただ明るいだけではない。

暗く悲しくつらい反面がある。

その闇の部分がなければ、人生は薄っぺらい。

……そのことを、弥生は『源氏物語』から教えてもらった。

いまでは、初恋とも呼べない何かで自殺をも考えたおかげで、千年以上まえの物語が読み込めたのだと、むしろ神仕組みめいた人生の不思議を感じる。

だから、紫式部に書いてもらいたいのだ。


そのとき、簀子が鳴って赤染衛門がやってきた。

「ああ、よかった。すっかり元気になったようね。では、このお見舞いの品はもういいかしら」

赤染衛門が持っていたのは写本――「桐壺」の冊子だった。

「いえ。読ませてください」

弥生は腕を伸ばした。

まるで何日も飲まず食わずで旅してきた人が、やっとたどり着いた清冽(せいれつ)な泉の水を飲もうとするように。


いづれの御時にか、女御更衣あまたさぶらひたまひけるなかに、いとやむごとなき際にはあらぬが、すぐれて時めきたまふありけり。

――どの帝のご治世の時代であったか、女御や更衣という后たちがたくさんいらっしゃるなかで、それほど高貴な生まれというわけではないのに、格別に帝のご寵愛を受ける方があった。


架空の帝の治世。

妍(けん)を競う后たちの群れ。

そのなかに中流の血筋でありながら群を抜いて帝の寵愛を受けている女がいる。

ある程度の身分の女たちが憧れ、話題にし、一度は夢想したであろう光景が、簡潔かつ隙なく提示されている。

冒頭二行程度で、読者を完全に物語世界に引き込んでいた。

久しぶりに読む「桐壺」は新鮮だった。

平安時代の冊子の重さ、紙質、墨で書かれた字の揺らぎ。

読んでいるときの空気。

冬の風、遣り水の音。

それらひとつひとつが心に沁みる。


冒頭に描かれた、帝の寵愛を人並み外れて受けている后が、桐壺更衣である。

やがて帝と桐壺更衣の間には光り輝くような美しい皇子が生まれた。

けれども、他の后たちのいじめはすさまじく、さしたる後ろ盾もない桐壺更衣は、皇子が三歳になる頃に死んでしまう。

彼女の死を深く嘆く帝を癒やすために、亡き桐壺更衣に生き写しの先帝皇女が入内する。

これが藤壺であり、藤壺は帝の寵愛を深く受けるとともに、帝のもとで育てられていた皇子から実の母のように慕われる。

帝は元服した皇子を臣籍降下させて源氏姓を与えた。

同時に左大臣家の娘・葵の上の婿と定めたのである。

臣籍に降(くだ)った皇子は、その光り輝く美貌から「光る君」と呼ばれる。

源氏の誕生だった――。

「桐壺」はここで終わっている。

実に波乱に満ちた一帖だ。

近代以降の小説のように丁寧な描写がないぶん、荒削りに見えるかも知れない。

当時盛んに読まれていた白居易(はくきょい)の漢詩集『白氏文集』のなかの、「長恨歌(ちょうごんか)」からの影響がかなり明確に出ている。

「長恨歌」は唐の玄宗皇帝と楊貴妃の恋を扱った長編詩であり、政治批判詩でもある。

「帝が身分の低い后に夢中になって政がおろそかになる」というのは、桐壺更衣をよく思わない人々から指摘される。

「比翼連理(ひよくれんり)」――常に二羽一体となって飛ばなければならない「比翼の鳥」、二つの木の枝がつながって一つになった「連理の枝」のようにいつまでもともにいようと玄宗皇帝と楊貴妃が誓い合ったとされる言葉――の一節を屏風(びょうぶ)に書かせ、「死に別れてしまったいま、この『比翼連理』の願いはかなわなかった」と帝が恨みながら毎日眺めていたという描写もかなり露骨に出てくる。

それらを見れば、まだまだ文学的に荒削りなところも、武骨なところもあるかもしれない。

けれども、やはりおもしろい――。


天皇が続きを欲しがるのもわかるというもの。

いや、誰よりも弥生自身が続きを読みたい。


「紫式部」と呼びかける。

「はい」

と彼女が答えた。

「少しまえに嫌な夢を見ていたの」

「そう……」

こういうとき、紫式部は不用意に踏み込まない。

つらいことのつらさを、知っているからだと思う。

「夢のなかでわたしはある方をお慕いするの。胸の中で秘めているだけでよかった。

ところがそれがひょんなことでバレてしまい、男たちからも女たちからもばかにされ、いじめられる」

「なんてひどい夢」

と紫式部が険しい表情になる。

紫式部がわたしのために――千年後のあなたのささやかな読者ひとりのために怒ってくれている。
そう思うとうれしくて、少し鼻の奥がつんとした。

弥生は呼吸を繰り返して胸の痛みをやり過ごす。

目線を和泉式部に移した。

「その夢のなかに出てきた女のひとりが、和泉式部さまと少し似ていらしたような心持ちがして。それで、動転してしまって、倒れてしまったのです」

「まあ……」と紫式部。

「それは、申し訳ございませんでした」

と和泉式部が謝る。

弥生は首を横に振った。

「わたしの思い過ごしでした。わたしはその嫌な夢があまりにも強い印象だったので、ちょっとでもそれに似ている方を見ると、心が勝手にそう見せてしまったのだと思います」

「心が勝手に……」

とつぶやいた紫式部の手を取る。

「つらくて苦しくてどうしようもない体験をしてしまうと、次も怖くなるよね」

「………」

弥生は、目をそらしていた自分の過去を突きつけられて、その痛みを思い出した。その痛みを抱きしめて紫式部のこれまでを振り返れば、彼女の孤独は弥生のそれと変わらなかった。

推しを超えている。

友達をも超えている。

同情を越えた同悲同苦に近いものへ変わっていった。

弥生は続けた。

「夢のなかで――」現代での〝藤原弥生〟の人生を「夢」だと言ってみると、ほんとうにそんな気がしてくる。「わたしの味方は誰もいなかった。『夜半の月が雲に隠れるほどの間』もない。誰もいなかったのだから」

紫式部がびくりと身体を震わせた。

「小少将。いまの『夜半の月が雲に隠れるほどの間』というのは、もしかしてわたしの歌――？」

「そう。――昔、あなたの御尊父の赴任地だった遠い越前国に、紫式部は行ってたよね」

「一年足らずだけどね」

あまりにもさみしく過酷な環境に耐えかねて、紫式部は都へひとりで戻ったとされている。

「そのときの友達が都に立ち寄ってくれた。けれども、時間がなくて慌ただしくその友達は去っていった」

「ええ」

「でも――あなたはそれだけとは思わなかった。都にいる自分が、越前国での自分と違って見えてしまったのではないか、と」

紫式部が苦笑しながらうなずく。

「わたしはわたしなのに、都で変に垢抜けてしまったように見られたのかなと、悲しい気持ちになって――あの歌を詠んだ」

めぐり逢ひて　見しやそれとも　わかぬ間に
　雲隠れにし　夜半の月かな
そう。『百人一首』に取られたあの歌だ。

弥生がうなずき返した。

「あの歌を教えてくれたときのこと、よく覚えているよ」

歌を口ずさみながら、自分は変わってしまったのかと、悲しくつぶやいた紫式部。

夕日を背にした彼女の目がかすかに潤んでいたのは、見間違いではなかっただろう。

そのときだった。

弥生は不思議な違和感を覚えた。

いや、違和感を覚えていないことに、違和感を覚えた。

これは〝小少将〟の記憶のはずなのに、自分自身の記憶のようにありありと感じられたのだ。

これはいったい――。

紫式部がうなずいた。

「ええ。そうね」

「わたしの今回の人生には、そんな友人はいなかった」

思わず口をついて出た言葉に紫式部や大納言が反応する。

「いまの言葉は……？」

これでは〝今回〟ではない人生があるようではないか。

その通りなのだが、いまはそこが主題ではない。

夢と混ざっただけ、とごまかす。

「あの頃から、あなたは変わっていない。宮仕えをするにはあなたは細やかすぎるのよ」

「わたしなんかより、小少将のほうが……」

弥生は首を横に振った。

「あなたは、わたしのこの人生で大切な友達。あなたが苦しむのを黙って見ていられなかった」

「小少将……っ」

「あなたは『桐壺』を書いたときにもほんとうは怖がっていたのではないの？　女の

身で、こんなものを書いていいのか、と」
「……ええ」
と紫式部が涙ぐむ。
言いながら、心のなかで弥生は驚いた。
これは現代の文献研究にはない見方だ。
これは——小少将の言葉だ。
紫式部が苦しむのを黙って見ていられなかったのも、小少将だ。

小少将であり、自分だ。

その瞬間、弥生は天啓のようにすべてが理解できた。
このあとも、紫式部は苦しみながら『源氏物語』を書き続けるのだ。
それを自分は知っている。
なぜなら。

わたしが——わたしこそが、ほんものの小少将だからだ。

小少将は他人ではなかったのだ。

未来から来た藤原弥生という人間の魂が、小少将の身体に入り込んでしまったのではない。

過去世とか前世とか言われるものなのだと思う。


小少将は、紫式部より先に死ぬ。

紫式部は嘆き悲しんだ。

その様子も覚えている。

魂として見ていたから。


その後もさまざまなことで不器用に苦しみながら生きていく紫式部を見て、小少将の魂は——自分は思ったのだ。

「『源氏物語』という珠玉の作品を書きあらわしながら、紫式部が苦しみ続けるのを黙って見ていられない」と。

紫式部を幸せにしつつ、『源氏物語』も正しく完成させる方法はなかったのか。

千年の時間、その方法を探してきたのだ。

『源氏物語』の知識も、彼女の日記や歌への洞察も身につけ、自分自身も彼女のような孤独の悲しみを味わって、わたしは——小少将は戻ってきた。

今度は、『源氏物語』という最高の小説を書いた彼女に、最高の幸せを味わってもらいたい——。


大納言が、少し心配そうにのぞきこむ。

「しばらくまえから疑問だったけど、あなた、ほんとうに小少将?」

弥生はやや迷った末、力を込めてうなずいた。

「わたしは小少将よ」

それは、〝弥生〟としてではなく〝小少将〟として生きる決意の表れだった。

紫式部はじっと小少将を見つめている。

「なら、いいのだけど」と大納言。

「さっきわたしが見た夢は、千年以上先の世の夢。あまりにもありありとそんな夢を見ていたから少し違って見えたのよ」

「そう?」

「夢のなかでいじめられていたわたしは、『源氏物語』に心を救われるの」

「…………」

「あなたの書くものは人の心に刻まれていく。お願い。千年後の女の子を助けて」

「千年先なんて……わたしの物語、来年まであるかすらわからないのに」

紫式部は目を伏せて、局から出ていこうとする。

弥生は大きな声で呼びかけた。

「あなたの孤独が誰かの孤独に響いて、救える心があるのよ」

紫式部がこちらに振り返った。

〝小少将〟が千年以上かけて見つけてきたものは、原稿を取り立てる編集者ではない。彼女の孤独を理解し、受け止める存在となるために、千年以上の魂の遍歴はあったはずだ。

なぜなら。

弥生は先ほど握っていた紫式部の手の小ささを思い出す。

あの小さな手から紡がれる文字だけで、後宮の女房たち全員の悪意を引き受けなければいけないのだ。

まるで舞台に上がった歌手のように、眩しい光をさんざんに浴びながら、後ろには誰もいない。

何もない。

きれいな舞台のセットは、裏から見れば押しただけで倒れる書き割り。

常に観客に、観客の望む姿を見せ続け、すべての歓声と罵声と称賛と批判をその身ひとつで受け続けるしかないのだ。

だから、わたしにできることは——。


衾を跳ね飛ばし、弥生は紫式部に迫る。

「紫式部。わたし、どうしてもこの先が読みたい」

彼女が悲しみと怒りとやるせなさを露骨に表した。

「わたしはもう何も思い浮かばないし、もう筆も持てない——」

「嘘だよ。このまえ、思い浮かんだよね？　でも、書けないって」

「そう よ。……書けないのよ」

どういうこと、という顔で大納言たちが見ているが、説明はあとだ。

弥生が宣言した。

「わたしが代わりに文字に書く」

「どういうこと？」

「わたしがあなたの筆になる。紫式部は物語を話してくれればいい」

大納言や赤染衛門の顔にますます疑問符が浮かぶ。

弥生が言ったのは「口述筆記」だ。

そんなもの、この時代にあっただろうか。

知ったことではない。

「そんなこと、できるの」

紫式部も疑うようなまなざしを向けた。

「わたしがこの物語の先をどうしても読みたいの。『桐壺』は紫式部が自分のために書いたのでしょ？　なら、この先はわたしのために書いて！」

「小少将の、ため？」

紫式部は目を丸くした。

「左大臣さまは主上のためとか言うだろうけど、そういうの、ちょっと横に置いて。わたしのために、友達のために書いてほしいの。字はわたしが書くから」

しばらく紫式部は目だけでなく口も丸くしていた。

何か言おうとして、何も出てこなくて、魚のようにぱくぱくしている。

「……友達のためなら、できるかもしれない」

紫式部はそう言って目からしずくをこぼした。

大納言たちが局から出ていってふたりきりになると、紫式部と弥生はさっそく意見を出し合い始めた。

「源氏が青年になってからの話でいいよね」と紫式部。

「源氏は、なんだかんだ言っても帝のもとで育てられた皇子だから、まじめなのよね？」

と弥生が振れば、紫式部も、

「そう。……あ、そうか。彼がいろいろな女性を恋していくようになるにはきっかけがいるのか」

「桐壺更衣の死で母の愛を知らないのは、愛に悩むようになる大きな原因だろうけど、それだけでいいかな」

紫式部が考え込む。

「もうひとつはやっぱり男の知り合いからのけしかけかしら」

「ああ、男同士で恋の話や女性の話をあれこれして、興味を持たせる、みたいな？」

この流れは、実際の『源氏物語』と合致していた。

「桐壺」のあとは「帚木」「空蟬(うつせみ)」「夕顔」と続く。

「帚木」において、年齢の明記はないが、源氏は十七歳くらいだとされていた。

ここから源氏の恋の物語が始まる。

ただ、いくら源氏とは言え、最初から宮中の女房たちをとっかえひっかえとは行かない。

そこで出てくるのが「中流の女たち」であり、「高貴な血筋と言うだけでよい女がいるとは限らない。中流の女にこそ、これはというようなすばらしい女性がいたりするものだ」と、源氏に教授する「雨夜の品定め」である。

弥生は知っているが、その答えを言ってはいけない。

あくまでも誘導だった。


翌日、藤壺に上がると、ふたりはそのまま自分たちの局に籠もった。

紫式部は目を閉じ、指を筆のように動かしながら、物語をつぶやく。

「長雨晴れ間なきころ、内裏の御物忌さし続きて、いとど長居さぶらひたまふを……」

――長雨で晴れ間もない頃、帝の物忌みが続いて、ずいぶんと長居の務めをしていたときに……。

意外に、早い。

弥生はどんどん紙に書いていった。

木簡や竹簡では並べている時間がもったいないからだ。

当然、ときには紫式部の言い間違えや弥生の書き損じも出る。

「宮腹（みやばら）の中将は親しく馴（な）れきこえたまひて……いや、『なかに』親しく馴れきこえたまひて、遊び戯れをも人よりは心安く振る舞ひたり。あ、最後は『なれなれしく振る舞ひたり』に」

紫式部が物語を書き始めたらしいと聞きつけた道長が様子を見に来た。

「なんだこれは」

と口述筆記を初めて見た道長が悲鳴に似た声を上げた。

まき散らされている紙の数を見れば、そうなるだろう。

紙は高価なのだ。

「いろいろありまして」

そのあいだも、紫式部は止まらない。

「ずいぶん変わった方法でやっているのだな」

「あのぉ。他の人がしゃべると物語と混ざってしまいますので」

と弥生は丁重に追い出した。

その後も気になる道長はなんだかんだと様子を見に来た。

特に、反故(ほご)が大量に出ているのが気になるのか、「紙は貴重なのだぞ」と時折言いに来たが、「『源氏物語』ですから」と弥生がふわりと言えば、左大臣といえども引き下がらざるを得ない。

食事などは大納言が運んでくれた。

「『あまり根をつめすぎないように』と中宮さまからお言葉が」

「ありがとうございます」

と弥生は頭を下げた。

紫式部は軽く顎を引いて会釈程度の礼をしただけ。

その目は、藤壺にありながら藤壺を見ていない。

若者になりつつある源氏、彼の生涯の友となる頭中将、源氏の周りに現れる女たちを見つめ、叙述している。

赤染衛門はあえて紫式部を局から出す手伝いをしてくれた。

気分転換がひとつと、もう一度、違った目線や角度で内裏の殿舎を見て、描写の手助けにしてもらおうという心づもりだった。

和泉式部からは手紙が来た。

どのような恋のあり方があるのか、女の身分は、様子は、実際にそのような話があったのか、いろいろ話したいと書かれていた。

やはり思いのままに歌を詠むのは得意のようだが、まとまった文章にするのは苦手らしい。

それらの援助を目の当たりにして、紫式部は口述を止めて呆然（ぼうぜん）としていた。

「どうして、みんな……」

弥生はにっこり微笑んだ。

「みんな、『源氏物語』が――いいえ、紫式部のことが大好きなのよ」

紫式部は真っ赤になった。

「そ、そんな――わたし、なんか」

「『わたしなんか』ではないよ。あなたはわたしの友達で、推しなのだし」

「おし？」

紫式部が怪訝な顔をした。

「大切な方だということです。だから、いくら紫式部自身でも『紫式部』を貶めたら許さないんだから」

弥生のめちゃくちゃな言い方が案外気に入ったのか、紫式部は軽く苦笑をして口述に戻った。


紫式部を助けてくれたのは人だけではなかった。

十一月は宮中行事として五節がある。中の丑、寅、卯、辰の日に舞姫が舞楽をするのだが、ことに中の卯の日に行われる新嘗祭の日の童女御覧は特別に注目されていた。舞姫には国司や公卿らの少女が選ばれるのだが、この様子も紫式部はじっと見つめていた。

「童女御覧も物語に入れるの？」

「いますぐではないつもりだけど。でも書こうとしたときが春だったら、一年待たなければいけないし。見られるときに覚えておかないと」

宮中の行事のひとつひとつも、これまでと違って真剣に記憶に留めていく。

なにしろ、大抵の行事は年に一回――いまを逃したら一年間、取材も出来なければ映像にも当たれないのだから。

新嘗祭が終わって、和泉式部をふたりで訪ねた。

和泉式部からはいろいろな話を聞くことができた。

幼い弟を抱えた受領の娘や、さる公卿と身分の低い女の間に生まれた娘などが、どのような貴族に見初められたのか。

あるいは捨てられ、あるいは女のほうから男を遠ざけた、それらの顚末……。

彼女の家から出て、紫式部は珍しく笑っていた。

「今日は得るものがあった？」

「ええ、とっても」

「どんな話が……？」

紫式部はくすくす笑った。

「ふふ。話もそうだけど、途中で何度か女房が何かを持ってきたでしょ」

「はい」

そんなことが何回かあった。来客の弥生たちがいたせいもあって、ずいぶんそっけなく扱っていたように思う。軽く眺めておしまいにしたり、読みもしないで後ろに置いたり……。

「あれ、たぶん男の人からの手紙」

「ほー」

言われて、和泉式部のそっけない表情を思い出すと、いろいろ興味深い。

「ほんとうに恋多き女は、人前であんなふうに振る舞うのね」

こうして物語が徐々に集まってきた。

ひとつの場面の思いつきが点となり、核となる。

いくつかの核が線で結ばれていく。

しかし、何かが足りなかった。

口述筆記したものを何度読み返しても、弥生の知っている『源氏物語』に届いていないのだ。

「どう？」と紫式部が問うた。

「そう、ねぇ……」

十二月ももう数えるほど。

宮中は新年を迎えるために忙しい。

その忙しさのなかにあって、紫式部と弥生は陰陽師や密教僧の術のように時間を作り出しては『源氏物語』をまとめていた。

しかし。

「うまくいっていないかな」

紫式部がうなだれる。

「そんなことないの」と弥生は否定した。「たぶんわたしの書き取る力が足りないだけだと思う」

弥生は「桐壺」を読み返す。

何度も。

何度も。

もうほとんどのところまで暗誦できるほどだ。

「言葉遣い、敬語の係り方、全体の感じ……かなりいいところまで来てると思うのだけど」

わからなかった。

けれども――。

言葉の迫力がどこか違うのだ。

やはり、口述筆記では無理があるのだろうか。

紫式部はまだ紙に字を書けない。

紙に書かれた文字を読むこともままならないのだ。

想いは、書きたいことはこんなに溢れて形になってきているのに。

苦悩する弥生に、紫式部が思い詰めたような表情で手を伸ばした。

「小少将。――『桐壺』を、わたしの物語を貸して」

第四章　もののあはれ

紫式部は久しぶりに自分の物語を読み返した。

師走の寒さが局に染みこんでくる。火桶で手を温めながら冊子をめくった。


いづれの御時にか、女御更衣あまたさぶらひたまひけるなかに……。


書き出しを見ただけで、紫式部は嘔吐感がこみ上げてきた。

冷笑、嘲笑、無視、陰口、悪意、侮蔑。

この物語によって紫式部が蒙った数々の屈辱が甦ったのだ。

「紫式部っ」と小少将が慌てる。

「大丈夫。……でもできれば、桶を」

小少将が簀子を急いだ。

紫式部はそのあいだにも口のなかの酸っぱいものを飲み下し、岩山に挑むように読み進めていく。

「いとまばゆき人の御おぼえなり。唐土にも、かかる事の起こりにこそ、世も乱れ、悪しかりけれ」

——「とても眩しいほどの御寵愛であることよ。唐国でも、このようなことが起こりとなって、世も乱れ、悪くなったのだ」

限りとて　別るる道の　悲しきに
　いかまほしきは　命なりけり

——人の命には限りがあるからと、別れゆく道で悲しくいますが、わたしがあえて欲するのは命でございます。

母御息所も、影だにおぼえたまはぬを、「いとよう似たまへり」と、典侍の聞こえけるを、若き御心地にいとあはれと思ひきこえたまひて、常に参らまほしく、なづさひ見たてまつらばやとおぼえたまふ。

——いまは亡き桐壺更衣も、顔かたちすら覚えていらっしゃらないけれど、「とてもよく似ていらっしゃる」と、典侍が申し上げたのを、源氏は幼心にとても慕わしいと感じられて、藤壺のそばにいつも参りたく、親しく拝見したいと思われる。

綴られた物語には、恋があり、雅な絵巻があった。
そこに人の思惑が入り込む。
痛みが生まれる。
悲しみが吹き込む。
残酷な悲劇が鎌首をもたげる……。

けれども、その奥に何かしら違うものがきらめいているのが感じられた。
小さな火桶よりもかすかな熱が、頬を燃やす。
その熱が、紫式部の心の奥底の祈りを思い出させた。
そうだ。このきらめきをわたしは文字に封じようとしたのだ。

小少将が桶を持ってきてくれた。
そのとき、紫式部は震える手で筆をとっていた。
自ら筆をとって紙に文字を書くためだ。

きらめきを――。

人は生まれ、生き、恋をし、老いて、病になって死んでいく。

そのごくありきたりな人生のなかに、誰しもが味わうきらめきを。

冬の鴨川が日の光を受けてちろちろと輝きながら流れていくように、ひとつひとつは小さくて同じようでありながら、決して同じものがないきらめきを、この黒い墨の文字に捉えたいのだ。

だが、ひどいめまいと嘔吐感に、紫式部は昏倒した。

＊　＊　＊

土御門第で、左大臣・藤原道長は寒い冬だというのに、邸内の釣殿そばの南池に龍頭鷁首の舟を浮かべさせていた。

「中宮さまが主上の皇子を生んだあかつきには、若宮を御覧に主上の行幸があるだろう。そのときのもてなしを考えておかなければな」

ということらしい。

道長が声高に指示を叫び、召人たちが右へ左へと動き回っている。

「何も師走の忙しいときにやらなくても」

と弥生は小さくつぶやいた。

史実どおりに彰子が身ごもるとすれば、あと二年先だ。

気の早いことだなと弥生はその舟を眺めていた。

「いまからあんなふうにされたら、主上も困るでしょうに」

と紫式部が横で同じく舟を眺めている。

新年をまえに、ふたりして久しぶりに土御門第に戻ってきたのだが、まさかこんな騒がしいことになっていようとは思わなかった。

自ら筆をとろうとしてまた倒れた紫式部が少しでも休めればと思ったのだが、これではおちおちゆっくりしていられそうにない。

冬晴れの陽射しが暖かい。

白く眩しいばかりの冬の日に、龍頭鷁首の舟が照らされている姿だけなら、何か神秘的なものがある。

「源氏は、誰かを念頭にしていないの？」

物語の原点を確かめたくて、聞いてみた。

自分が〝小少将〟の生まれ変わりだったのだと思ってからは、「このネタは論文にしたい」「ここは新説かもしれない」みたいな、学問的ながつがつした気持ちは静かになっていた。

あるのは、ただ、推しを——紫式部を支えたいという気持ち。

紫式部とともに『源氏物語』を世に送り出したい。

偉大な物語作者として、紫式部が得るべき賞賛をきちんと受けてほしい。

そんな気持ちが弥生を動かしていた。

「百八十年ほどまえの嵯峨天皇の時代、多くの皇子がいたものの全員をそのままの身分で置くのは民の負担も増えるだろうからと、多くを臣籍降下させたでしょ？」

「それこそ更衣や御息所といった、身分の低い后の皇子たちから優先して臣籍になったよね」

「そう。そのなかのひとり、源融（とおる）さまは生まれという意味では参考にしたけど」

と紫式部が首を振る。

そのあたりは弥生も知っている。

「源融さまは器量も人柄もすぐれていらっしゃったと伺うけど、それだけでは恋多き源氏とはちょっと違うよね」

「かといって在原業平さまにしてしまったら『伊勢物語』だし」

「他に、念頭に置いた方はいないの？」

「あとは少しまえの方で、醍醐（だいご）天皇の第十皇子だった源高明（たかあきら）さま。学問を好み、朝儀や有職故実にも詳しく、歌もすばらしかったから」

うんうん、と弥生はうなずいた。

この源高明も、源氏のもととなる人物としては有名だった。

「源氏があまりにもすぐれた人だから、ひとりだけを参考にするのは無理だろうね」

「小少将もそう思う?」

と紫式部が苦笑した。

なにしろ、源氏はひと目見ただけで寿命が伸びた心地がし、御仏に祈る姿は如来菩薩が現し身で現れたと涙がこぼれるほどの人物なのだ。

「だから、いろんな人のいろんなところを混ぜて作り上げるしかないかなって」

「そうなのだと思うけど……できるかな」

「できるよ」

と弥生が即答した。

できている未来があるのだから。


白湯と干し柿を取り寄せた。

砂糖のないこの時代、干し柿の甘みは他に比較できないほどの贅沢な味である。

気持ち悪くならない程度に、と言いつつ、紫式部もひとつ食べてしまった。

「『桐壺』を読む限り、源氏は継母である藤壺に恋心を寄せているよね」

と、久々の甘い物に心の落ち着くのを感じながら、弥生が指摘する。

「そう。それで源氏の性格から言ったら」

「密通までいくでしょ」

「たぶんね」と紫式部がやや頭を抱えた。「そこまで書かないとダメかな」

「そうなっちゃうだろうからねえ」

「となると、この物語の『時代』をどうするか、よね」

と紫式部が白湯を飲む。

「『時代』？」

「もし読者がついてきてくれたら、源氏の一生を書くことになると思うの。となると、何代かの御代を書くことになる」

「追号か院号をつけないと訳がわからなくなる……」

先ほどまでの話で言えば「嵯峨天皇」や「醍醐天皇」といった呼び名である。

「桐壺」で出てきた帝は、すでに桐壺帝として巷間で馴染んでいるが、そこから先も架空の帝を擁立していいものか。

それとも実在する追号を踏襲すべきか。

これは微妙な問題をはらんでいた。

もし実在する号を使えば、その天皇の御代に不義密通があったかのように思われるからだ。

この辺りの重さは〝弥生〟にはわかりかねた。

「嵯峨天皇の追号をいただくのは、あまり馴染まない気がするのよね。わたしが考えているのはもう少し主上が表に出てこない話だから」

「それなら、源高明さまの時代、安和の変で巻き込まれるように即位された冷泉天皇を不義密通の子の配役で考えたらどうかしら」

ほとんど正解の誘導である。

安和の変は藤原氏による他氏排斥事件のひとつで、謀反の密告により左大臣だった源高明が失脚させられた。

これも『源氏物語』で一時的に源氏が須磨へ身を引くくだりの元になっていると言われている。

「そのまえは聖代とされた村上天皇の治世よ？　実際に不義密通の当事者の時代としては……」

「だからそこは飛ばして、朱雀天皇に遡れば？」

ここは一気に現代人の感覚で押し切ってしまうことにした。

紫式部が目を丸くしている。

「……小少将、熱で倒れてからほんとうに、まるで別人みたいになって」

「そんなことないですよ」

「ほんとかしら……」

　ともあれ、紫式部は弥生の提案を受け入れるようだった。

「現実の出来事を踏まえて書くことで、読み手にはその時代の雰囲気などが伝わると思うの。万葉の頃の歌をもとにして歌を詠めば、もとにした万葉の歌の気持ちも伝わるように」

　ふと、ふたりは黙り込んだ。


　弥生は耳の感覚を閉じて道長たちのざわめきを排除した。

　さらに、立ち回る男たちの姿を視覚から追い出す。

　巨大な寝殿造の邸宅の南池に、装飾を施した舟が浮かんでいる。

「やがて栄華を極めた源氏もこんな舟で船遊びをするの」

　紫式部の声が遠くから聞こえてくるようだった。

「すてきね」

「時季は――三月頃かしら」

「庭にきれいな花が咲いているでしょうね」

「きっと源氏のことだから、春夏秋冬を模した御殿があって、それぞれに女主人たちがいて、女房などの召人たちがいる」

「うん」

「でも、女房たちからだと花が少し遠くにしか見えない。それで源氏は舟を用意し、女房たちをのせて池を回りながら花々を間近で見せてあげる」

桜の花、柳の新緑、藤の花房。

きっと女房たちは喜んだことだろう。

楽しい歌のやりとり、女房たちの笑い声。

「ただ楽しいだけではなくて、尊い大般若経の読経も聞こえてくる。清らかで美しい少女たちに鳥や蝶の装束を着せて、舞を踊らせる――」

釈迦大如来の治める仏国土も、かくやはという荘厳な美しさ。

それがひとり源氏の邸のなかで展開していくのだ――。


舟が池の端にぶつかる音がして、弥生は現実に引き戻された。

現実の池では、道長が「何をやっておるのだ」と苦々しくしている。

弥生はいま自分が心のなかで見ていたものを、その典雅なありさまを、その感動をこぼさないようにゆっくりと紫式部を見た。

彼女もこちらを見ている。

「いまわたしたち――」

「同じものを見ていた……？」

弥生はそれが『源氏物語』の一節であることを知っている。

第二十四帖「蝴蝶（こちょう）」だった。

山の木立、中島のわたり、色まさる苔（こけ）のけしきなど、若き人びとのはつかに心もとなく思ふべかめるに、唐めいたる舟造らせたまひける、急ぎ装束かせたまひて、下ろし始めさせたまふ日は、雅楽寮の人召して、舟の楽せらる。

――源氏の邸の築山の木立、中島の辺り、色づいた苔のありさまなど、若い女房たちがわずかしか見られなくてもどかしそうだと、源氏は唐風に龍頭鷁首の舟を造らせになって、急いで装束を仕上げて、池に初めて下ろさせる日は、雅楽寮の人をお召しになって、舟楽をなさる。

数々の恋のみならず、政においても源氏は位人臣を極めんとする。

六条院と名づけた大邸宅を構え、そこに恋した女性たちを集め、みなで楽しい日々を過ごす。

そのひとつの象徴が六条院での舟遊びだった。

紫式部は道長の舟の様子を見て、その情景をありありと描いた。

横にいる弥生がまったく同じものを想像するほどに、確固とした像がすでにできている。

その夜、紫式部がまんじりともせず、じっと仰向(あおむ)けで起きていたのを、弥生は感じていた。

＊　＊　＊

翌日、藤壺に戻った紫式部は、中宮彰子へのあいさつもそこそこに、大慌てで唐衣を翻して自らの局へ向かった。

「紫式部？」

「あるのよ」

「何が」

弥生もあとを追う。

「物語がそこに、すでにあるの」

「物語が……」

「天か、神仏か、どなたか知らないけど、物語はすでにあるの。それをちらりと垣間見させてくれた。わたしはそれを正しく降ろさないといけない」

御簾を下ろし、念のため几帳も立てた。

火桶を用意し、文机の上に紙を置く。

いつでも作業ができるようにたっぷり磨ってあった墨を筆に含ませた。

その弥生の手を、紫式部が押さえる。

「もう一度、わたしに書かせて」

「紫式部……」

「お願い」

紫式部が懇願してきた。

「でも、あなたはこのまえも」

「ええ。書けなかった。でも、『桐壺』を読むことはできた」

「あ――」

「だから、次は『書く』の」

彼女は、自らの心の傷を乗り越えようとしている……。

紫式部が文机に向かった。

「わたしは書かなければいけない」

肩で息をしながら、曇天のような顔をしながら、紫式部が筆を持つ。

その表情は鬼気迫るものがあった。

「大丈夫なの？」

紫式部がにやりと笑う。

「念のため〝桶〟は用意しておいて」

木枯らしが吹いていた。

もう木の葉はほとんど落ちている。

枝と枝がゆれて震えていた。

「無茶はしないで」

紫式部が筆を墨に浸す。

荒い息を繰り返し、筆を紙の上に運ぼうとし、めまいを起こした。

紫式部、とその肩を抱く。

しかし、彼女はその弥生の手を振り払った。

「わたしは書かなければいけない。――わたし自身の救いのために」

紫式部は身体を起こし、再び筆を持った。

「――小少将のために」

筆を持つ手が震える。

紫式部は苦しいのか、涙を流していた。

「会うことのない、千年後の少女のために」

紫式部は筆を紙に置こうとする。

だが次の瞬間、紫式部は瘧のように身体を震わせた。歯を食いしばって悲鳴を噛み殺しながらも涙をあふれさせて、筆を落としてしまう……。

見ていられない。

弥生も泣いていた。

もうやめて、と泣きながら止めるが、紫式部はもう一度筆をとった。

「わたしは書かなければいけないの。――だから、動いてッ」

紫式部は震える右手に筆を持ち、左手でその手をにぎりしめた。

紙に筆を向かわせる。

「光る源氏」

――震える筆が、そう文字を書いた。

「やった……。書けた。書けたじゃない、紫式部」

紫式部は歯を食いしばり、脂汗を流しながら、筆を動かし続けた。

虫が這うように「名のみことことしう」と続ける。

「名だけは評判になっているが」くらいの意味だ。

現存する第二帖「帚木」の冒頭だった。

弥生は口を押さえた。

そうしなければ自分の嗚咽が紫式部の邪魔をしてしまうと思ったからだ。

紫式部はゆっくりと、しかし確実に文字を書き続けた。

「わたしは、書くんだ。――わたしが書きたいのは、移りゆく世界で移りゆく心と移りゆかない心。永遠の一瞬。……人の心の儚さと愚かさと美しさと愛おしさ」

紫式部の心の奥底の念いから、物語が綴られていく。

「紫式部——あなたは……」
弥生はそれだけしか言えなかった。

紫式部は自分のためだけでは、「桐壺」以上は書けなかった。
弥生のためにであれば、彼女は立ち向かおうとすることができた。
けれども、ほんとうに書き出すためのもう一歩が足りなかった。

それは、作家としての彼女の心を燃え立たせるもの。それは古今東西の創作者たちが求めてきたもの。命と引き換えにしても手に入れたいと思ったもの。

それは——美そのもの。
美への求道心が、彼女の孤独な創作を導く最大のものだったのだ。

紫式部は震える手で書き続けている。

「わたしの生命と引き換えにしてでも、書きたい。『伊勢物語』以上に人生そのものに近づきたい。そのためなら——宮中で陰口をたたかれてもいいし、勝手な批評を山のように積まれてもいい」

「そんな……」

本気の紫式部をまえに、弥生は言葉を失うしかなかった。

「釈迦大如来の教えのとおり、愛する人と別れては、憎しむ者と出会う。求めたものがすべて手に入ることはなく、得られても得られなくても心の苦しみは消えない。肉体に起因する煩悩も尽きることはない。でもそのなかで、人の営みもそれを越えた御仏の慈しみも、こんなにも美しいって」

「目指すものが、ほんとうに〝書きたいこと〟が見つかったのね」

ええ、と紫式部がうなずく。脂汗で張り付いた額髪を、左手で拭った。

「わたしが目指すのは——〝もののあはれ〟」

主題が決まった。

『源氏物語』という長大な物語世界を支える背骨を、彼女が自分で見つけたのである。

まだ震えるものの、右手だけで紫式部は文字を生み出していた。

だが、背骨だけでは物語は成り立たない。

荒い息、乱れた筆致。

紫式部は文字を綴っていく。

絞り出すように、あるいは血を吐くように。

ときにえずき、ときに泣きながら。

まるで冬の荒野をたったひとりで開墾するように、一歩一歩、紫式部は物語世界を開拓している。

そんな紫式部に、弥生がそっと手を添えた。

「小少将……」

弥生は微笑む。

もう〝小少将〟と呼ばれるのにも、なれた。

「わたしはあなたの物語をこの世でいちばん最初に読む。紫式部、他の人のことは忘れて。わたしを見て」

「あなただけを……」

紫式部が熱いまなざしをこちらに向ける。

「わたしはあなたを批判なんてしない。大切な友達で尊敬する人だから」

「そんな……。わたし、こんな無様な格好で」

「無様なんかじゃない」弥生は静かに、しかしきっぱりと否定した。「あなたは美しく、さまよしなのよ」


美しく、かっこいい。


そんなふうに言われて紫式部が赤面する。

「さまあし。かっこ悪いよ」

「笑いたい人には笑わせておけばいいのよ」

「小少将……」

「あなたは源氏に、藤壺に、頭中将に、その他多くの人たちに筆の力で命を吹き込んでいる。そのつらさをわたしは見ている。もしあなたを笑う人がいたら、わたしが文句を言ってあげる」

「まあ」

紫式部の目に透明なものが溜まって膨らんでいた。

「あなたが〝もののあはれ〟を摑み、登場人物たちの人生で描ききるまで、わたしはずっとあなたと一緒に戦う」

「うん」

紫式部は女童のようにうなずいた。

「だから、道に迷ったらわたしだけに物語を語って」

「うん」

「どうしていいかわからなくなったら、母が子に子守歌を歌うように、わたしにあなたの物語を聞かせるつもりで書き進めてみて」

弥生の手と紫式部の手がひとつとなって、筆を動かしていった。

白い紙に黒い線が動き、文字が綴られるたび、弥生は物語を味わっていた。

口述筆記のときとは、またぜんぜん違う。

まさに紫式部の息づかいが感じられた。

弥生もまた同じ空気を吸い、同じ光景を生きながら手を動かしている。


紫式部は三日書いて一日休んだ。

その休みの日に、弥生は紫式部に必要そうな資料を探し、参考になりそうな人の話を集めた。

空いた時間には紫式部の原稿の清書をした。

宮中の空気が、いままでの読書体験よりも濃密に『源氏物語』を伝えてくる。

「帚木」の初めは「雨夜の品定め」。

若い貴族たちが女性論を交わし、恋愛体験を語り合う。

そこにあったのは、男たちがこれまでどのように女を描いてきたかという話でもあった。

いづ方により果つともなく、果て果てはあやしきことどもになりて、明かしたまひつ。

——どこか結論に達するわけでもなく、とうとう聞き苦しい感じになり、夜をお明かしになった。

弥生は思わずにやりとした。

男たちが語る女の物語に結論なんてなかったじゃないか。

男たちに対して、紫式部は——本人は気づいていないかも知れないけど——挑戦状をたたきつけているのだ。

ここから正真正銘、「紫式部の物語」が始まる。

＊　＊　＊

「雨夜の品定め」で青年らしい好奇心に駆り立てられた源氏は、翌日、方違えのために紀伊守（きいのかみ）の邸を訪れる。

方違えとは、その日の方角で凶とされる方向から目的地——たいていは内裏——へ行かないように、あらかじめ別の邸に滞在し、違う方向から目的地へ向かうことである。

そこで源氏は伊予介（いよのすけ）の後妻・空蟬の存在を知り、垣間見る。

まさに、前日話題となった中流階級の女性ではないか。

その日の深夜、源氏は空蟬の部屋に忍び、一夜を共にする。

うちつけに、深からぬ心のほどと見たまふらむ、ことわりなれど、年ごろ思ひわたる心のうちも、聞こえ知らせむとてなむ。

——突然のことで、ちょっとした戯れ心とお思いになるのも、もっともなことですが、長年恋しく想っていたわたしの気持ちを、聞いていただきたいのです。

今日会ったばかりの女に、「長年恋しく想っていた」とぬけぬけと言い、しかもそれを相手に受け入れさせてしまう源氏の君。

さらに、今日の出会いは過去世の縁のなせるものだと、仏罰も恐れぬ大胆さ。

年老いた女房などはその姿を見ただけで御仏もかくやはと有り難さに涙を流すほどの、清らかな美貌の〝聖〟のなかに、帝の皇子として何でも許されるという愛と欲と権力の〝俗〟をのみ込んであまりある青年。

ついに源氏が、姿を現したのだ。

この箇所を紫式部が書いたとき、弥生は陶然として「来た……」とつぶやいてしまった。

「読み手はすでに源氏が不幸な生い立ちを背負っていることを知っている。その不幸が、ますます源氏の美貌を輝かせることも」

と紫式部が教えてくれた。

俗に、作家の第一作にはその作家のすべての要素が含まれているという。

源氏においても一人目の恋の相手となる空蟬に、その後のすべてが暗示されているようだった。

「帚木」に続く「空蟬」において、源氏は早くも空蟬の継娘である軒端荻(のきばのおぎ)にも心を動かされ、それを空蟬に見透かされた挙げ句に薄衣一枚を残した空蟬に逃げられる。

源氏は空蟬と思って忍んだ相手が、継娘の軒端荻であったことに驚くが、そのまま何食わぬ顔をして抱いてしまう。

源氏にはただ、空蟬の薄衣一枚だけが残される。


「空蟬を一方的に見初め、長年の恋慕であると言いきり、一夜を共にしたあと、源氏は空蟬を失う——源氏の何かを暗示しているみたいね」

と弥生が言うと、紫式部はちょっと筆を止めて顔をこちらに向け、にっこり微笑んだ。

「そうするつもり」

今日も弥生は膝立ちになって、紫式部の斜め後ろから、彼女の手に自分の手を重ねて筆を動かしている。

そのせいで思い切り近くに紫式部の顔があった。

だが、その顔は三十歳前半の、宮仕えに疲れた女の顔ではない。

物語を書くことを恐れていた人の顔でもない。

燦然と輝く物語世界の女主人そのものが、そこにいた。

「この空蟬は、もとになった人はいるの？」

すると紫式部はやや屈折したものの言い方になる。

「先日の土御門第での舟の様子を見て、あなたとわたしは同じ想像をし、わたしは物語がすでに天に、釈迦大如来の手のなかにあるのだと思った。手が届かないその物語を捕まえてこられるのは、ただわたしの心だけだった」

「心で、物語を捕らえる……」

「舟のありさま、紅葉の散りゆく姿、人々の営み。ここに〝もののあはれ〟を感じるのも、わたしの心だった」

「つまり――心のなかにすべてがあった、と？」

弥生が言うと、紫式部は頬を赤らめて軽くうつむいた。

「あれだけ書けない書けないとわたしは大騒ぎしていたのに、結局、わたしのなかに、わたしの心のなかに、最初からぜんぶがあったの。書きたい気持ちも、書きたい対象も」

弥生は手を外して膝立ちから正座のような姿勢で、紫式部に微笑みかけた。

「ほんとうに、見つけたのね」

「ええ。――だから、出てくる登場人物たちもまた、わたしの心のなかにいる。美貌と若さのままに恋を求める源氏も、その源氏が怖くなって逃げ出した空蟬も、ふとした過ちで源氏に身体を許してしまって、いきなり身分違いの大人の恋を知ってしまった軒端萩も」

「意地悪な弘徽殿の女御も、源氏が密かに恋慕する藤壺も？」

「そう」と紫式部はまじめにうなずいた。「源融さまや源高明さまみたいな方々も参考にはなるけど、結局、それらの姿は〝わたし〟の心が映した源融さまであり、源高明さまでしかないと気づいたのよ」

「ああ……」

誰しも自分の目でしか他人も世の中も見ていない。

けれども、普通の人よりそれを突き放し、それぞれの像を自らの一部であると同時にまったくの他人であると見つめ、描けるのが、物語作者というものなのだろう。

「小少将と碁を打つ〝わたし〟や、宮中をあちこち動き回る〝わたし〟、物語から逃げていた〝わたし〟に、それでも物語を書かずにはいられない〝わたし〟が、すべて同じ〝わたし〟の違う顔でありながら、みんなやっぱり〝わたし〟であるように、物語のすべての者たちは〝わたし〟の声であり、〝わたし〟自身だと思う」

「なるほどね」

「人によって濃淡はあるけれどね」

「そうでしょうね」

「そう考えると、空蟬は最初だから〝わたし〟に似ているところが少し多めかもしれない」

それは言い換えれば、源氏に出会ったら紫式部はどう振る舞うかでもあった。

まったく逃げ出すかと思っていたが、忍んでこられたら恥ずかしくて逃げることもできないのが、紫式部なのだな。

「このあとは、どうする？」

もちろん、『源氏物語』の行く末である。

「左大臣さまに、少し敬意を表しましょう」

「え？」

意外な言葉に弥生は戸惑った。

紫式部が少しいたずらっぽく笑っている。

「具平親王と大顔の恋を少しだけ念頭に置いて。もっと儚く。そう、『夕顔』という名がいい」

「うん。わたしもいいと思う」

弥生は喜びに震えた。

「夕顔」は好きな話だ。

『源氏物語』を読んだ人たちも、「夕顔」が好きという人は多いのではないだろうか。

弥生は再び、やや瘦せている紫式部の手に自らの小さな手を重ねた。

＊　＊　＊

年が明けた。

このときばかりは、紫式部も弥生も女房としての仕事を放擲できない。

このあいだ、『源氏物語』の執筆は中断された。

しかし、『源氏物語』そのものが止まったわけではなかった。

紫式部は「帚木」「空蟬」「夕顔」を年明けまでにほぼ終わらせ、写本を作る女房たちに回していたのである。

新年の賑わいが一段落つく頃に、『源氏物語』の新しい話が内裏を席巻した。

みな、若く美しい源氏の恋の物語に酔いしれた。

けれども、紫式部がほんとうに書き出さなければならないのは、この三帖の先にあるのだ。

二月早々、梅の香りのする局で、その帖の原稿は書き終えた。

原稿を書き終えたとき、弥生はどうしてか説明できないけど涙が流れた。

「どうしたの？」

と紫式部がおろおろする。

「何でもない」

ああ、とうとうここまで来たのか——しいて言葉にすればそんな気持ちだった。

『源氏物語』第五帖「若紫」。

瘧を病んで北山を訪れた源氏は、密かに恋する藤壺にそっくりな若紫という少女と出会う。

この若紫こそ、『源氏物語』でもっとも重要な女主人公である「紫の上」の若き日の姿だ。

雀（すずめ）の子を犬君が逃がしつる。伏籠のうちに、籠めたりつるものを
——雀の子を友達の犬君が逃がしてしまったの。籠を伏せて、逃がさないようにしていたのに。

そう言って泣く若紫は十歳前後。

男女の恋の機微も、源氏との出会いによって巻き起こる喜びも悲しみも何も知らない、純真無垢な少女だ。

紫式部は、まだこの先を書いていない。

若紫はまだ心も体も清らかなままで、紫の上への羽化登仙をしていない。

けれども、弥生はすべてを知っている。

この若紫がたどる運命を――。

藤壺の姪の若紫は、藤壺の代わりに源氏の二条邸に盗み出され、やがて源氏の妻である紫の上となるのだ。

しかし源氏はさまざまな浮名を流し、一時は紫の上を残して須磨に身を引いたり、彼の地で子を授かっては紫の上に養育を任せたりする。

小さかった若紫は、源氏という男のわがままと業を包み込む母のごとき紫の上に成長し――死んでいく。

そのすべてを知っている弥生は、若紫の出現に際して、まるで生まれたばかりのわが子の生涯をすべて知っている親のような、悲しみとも慈しみともつかない涙が流れたのだ。

「若紫」の帖では、もうひとつ、あまりにも重大な事件が起こる。若紫を見出し、盗み出すまでのあいだに挟まれるようにして、藤壺女御と源氏の密通が描かれるのである。

見てもまた　逢ふ夜まれなる　夢のうちに
　やがて紛るる　我が身ともがな

——藤壺さまのお姿を見たとしても、また逢う夜はまたとなく、その夢のうちにやがて紛れて、わが身は消えてしまいそうです。

世語りに　人や伝へむ　たぐひなく
　憂き身を覚めぬ　夢になしても

——あなたさまとのことは世間の語り草になって、人々に伝えられるのではないでしょうか。比べるものなくつらい身の上を覚めない夢のこととしても。

ときに源氏十八歳、藤壺二十三歳の四月の出来事である。
この密通により、藤壺は源氏の子を身ごもる。

だが、互いにそれと言えるわけもなく、藤壺は帝の子を宿したとして、宮中へ帰っていく……。

弥生がわかる限り、正しい『源氏物語』の流れを紫式部は書いている。

けれども、弥生は確かめないではいられなかった。

「ほんとうに、これでいいのね？」

紫式部は答える。

「これでいい。こうでなければ、わたしの物語は、『源氏物語』は成り立たないから」

そう言いながら、彼女はしきりに右の手首や指を揉(も)んでいる。

「痛むの？」

と弥生がその手を取って、揉む。

痩せて、少し腱(けん)が目立つ。

指には筆の跡がたこになっていた。

「ありがとう。集中しているときは気にならないのだけど……すごく痛い」

弥生は紫式部の手を――いままさに歴史に残る偉業をなしている細い手を揉みながら、続けた。

「また批判されるかもしれない」

「うん」

「今度こそ不敬だと言われるかもしれない」

「そうね」

「そのときは、わたしも一緒になって戦うから」

ところが、紫式部は晴れ晴れした顔で首を横に振った。

「大丈夫。そんなことがあっても、わたしだけで戦う」

「紫式部……」

「わたしは不義密通のすすめを書いているのではない。源氏が恋から恋へと蝶のように飛び回るのも、色好みを書きたいからではない」

「…………」

「愚かな人間の業の奥にある、大きな運命や神仏の計らいを描きたい。いいえ、わたし自身が知りたい」

「神仏の計らい……」

悪しき種をまけば悪しき実りが待っている。

よき種をまけばよき実りが待っている。

だから悪いことはせず、よいことをして、自分の心を清めなさい。

御仏の教えは、かんたんに言ってしまえばそれだけのことだという。

だが、そんなかんたんなことさえできないのが人間。

ならば、そんな人間とは何なのか……。

「元服して大人になるというでしょ？　けれども、大人になった途端、何もかも自分でやってよくなって、異性を求め、権力を求めて、傷つき、傷つけられる。それだけを見れば、大人は童以上に童よ」

「そうね。でも、現実に朝廷を動かし、政を行っているのはやはり元服をすませた大人たちよね？」

正確には、「元服をすませた男たち」だ。

「そう。だからこそ、人は誤解するのよ。大きな仕事をしていることと、欲望のままに暴走していることの区別がつかなくて」

「それが、あなたのいう〝もののあはれ〟？」

「その中に現れてくる何か。神仏の、はるかに遠いまなざしから見たその何かが〝もののあはれ〟ではないかしら」

「はるか遠いまなざし――」

「神仏のまなざしがなければ、人の営みは権力者のただの自己満足。砂上の楼閣のようなものだと思うの」

弥生はふと思った。

紫式部がどうしても書けないで苦しんでいたのは、批判を恐れてだけではなかったのではないか。

紫式部が感じ、描こうとしている神仏のまなざしを、どうやったら伝えられるかという苦悩でもあったのではないか……。

だから、尋ねた。

「わたしはこうして教えてもらったからわかったけど、『源氏物語』を読んだだけで読み手はわかってくれるかしら」

「わたしは、わたしの物語の読み手を信じている」

と紫式部はきっぱりと言った。

思わず笑いがこみ上げる。

「ふふ、ふふふ――」

この紫式部の自信はどうだろう。

「どうして笑うの？」

「ううん。すごいよ」

弥生は感嘆していた。

「わたしはこの物語の作者、紫式部。そしてあなたは、わたしの友達でわたしの大切な読み手、小少将。読者を楯にするなんて、できないよ」

「でも——」

紫式部がもう一方の手を重ね、弥生の手を包み込むようにした。

「わたし、言われるまえからずっとあなただけを目がけて書いていたのよ？」

「え？」

「あなたがいなければ『源氏物語』はここまで来られなかったし、この先にもいけないの」

いつのまにか、弥生の手が添えられていなくても、紫式部は物語が書けるようになっていた。

＊　＊　＊

「若紫」の反響はすさまじかった。

予想通り、酷評された。

けれども、それ以上に賞賛を受けた。

帝をはじめとする読み手たちの多くは「帚木」「空蟬」「夕顔」の三部作で、すでに『源氏物語』の、いや紫式部の虜になっていたのだ。

批判を恐れて筆を落としてしまう紫式部は、もういない。
厳しい批判や聞きたくない陰口を受けても、一文字一文字、物語を綴っていく。
気高い物語作者の姿がそこにはあった。

結び

「若紫」の写本を読み終えて、弥生はため息をついた。
もう何度読み返したろう。
見れば、藤壺の名の由来となった藤の花が天からこぼれるように咲いていた。

千年の時を生きる物語が誕生する瞬間に、自分は居合わせている。
この瞬間を生み出すために、わたしは、小少将は生まれてきたのだと思う。
現代に戻りたくなるときがないと言えば、嘘になる。
けれども、それ以上の大きな何かを感じている。
自分の生きる価値とするにはもっと尊くて、自分の使命というのもおこがましい。
どうしてわたしが、と思うけれども、誰かに代わりたいとも思わない。
だって、推しが、ほんとうの姿を現しつつあるのだから。
その感慨は日に日に増していった。

風が藤の花を揺らす。

弥生は、紫式部を知りたいと思った。

『源氏物語』を書いた天才・紫式部を。

けれども、ほんとうの紫式部は天才なんて言葉でかんたんにすませられるものではなかった。

文字通り涙を流し、歯を食いしばり、一文字一文字命を削って物語を綴っていた。

いまならわかる。

もし彼女が天才なのだとしたら、それは書き続けることにおいて天才だったのだ。


「小少将」

と紫式部が弥生を呼んだ。

「はい」

彼女に連れられて、彼女が執筆に使っている局に入る。

「相変わらずすごい書物ね」

「書き出すと気になるところが、どうしても出てくるから」

おびただしい数の書物が山と積まれていた。

漢籍十三種、仏典六種、歌集四十一種以上――それが『源氏物語』が下敷きにしている参考書籍だと後世には言われているが、いまこの局にはどう見てもそれ以上の書物があるように思う。

例の白居易の『白氏文集』はひと揃え置いてあるし、どういうわけか中国の歴史書にして戦記ともいうべき『史記』がすべてある。

『源氏物語』は『平家物語』と違って戦いは扱わないのだけど……。

足の踏み場もないとはこのことだった。

昔もいまも、作家の部屋というのはこういうものなのかも。

簀子で呆然としている弥生に、紫式部は紙束を渡した。

「次の『源氏物語』の原稿ができたの？」

「ちょっと読んでみて」と紫式部。


「若紫」の次、第六帖は「末摘花」。

『源氏物語』では珍しく、古風というよりも古すぎる感性の、鼻筋が真っ赤な、髪だけは美しい――要するに〝不美人〟が恋のお相手となる話だ。

この時代の恋は、真っ暗な夜に男が女のもとに通う形をとっているために、お互いの顔を見るのはことが終わった翌朝になることから起きた、ちょっとした運命の皮肉の帖だった。

弥生は原稿に目を落とした。

如月の十余日に、院の姫宮、二条院へ渡りたまふ。

――二月の十日すぎに、院の姫君が、源氏の二条院へ降嫁なさった。


「うん?」

弥生は首を傾げた。

これは「末摘花」ではない。

少なくとも弥生の知っている「末摘花」では。

「末摘花」は帖としては「若紫」のあとだが、時系列としては「若紫」と同じ頃を扱う。

つまり、冒頭では、源氏が夕顔をもののけに奪われた悲しみから立ち直れないさまが描かれるはずなのだ。

しかもこの当時の源氏の妻は、左大臣の娘である葵の上のはずで、帝の位を退いて出家した院の姫君を迎えてはいない。

しかし、この書き出し、どこかで見たことがある。

〝弥生〟の頭がフル回転する。

「あまり気に入ってもらえなかったかしら」

と紫式部が不安げに言う頃には、弥生はこの文章の正体に気づいていた。

これは「末摘花」ではない。

はるか先に書かれるはずの物語。

第三十四帖「若菜上」の書き出しにそっくりだ。

「若菜上」は『源氏物語』で唯一、上下になっている帖である。

源氏の兄である朱雀院が出家し、唯一気がかりだった愛娘（まなむすめ）の女三の宮を源氏に降嫁させる。

これまで源氏の正室は紫の上と暗黙の了解がされていたが、院の娘が降嫁するとなれば女三の宮を正室にしなければいけない。

藤壺女御の姪にあたることもあり、女三の宮を受け入れた源氏だったが、三十九歳となっていた彼に、まだ十三歳の女三の宮は幼すぎた。

女三の宮の降嫁によって、栄華を極めた源氏とその周辺に無常の風が吹き始める。

やがて女三の宮は、源氏が彼女の幼さを持て余している間に、柏木という人物と通じてしまい、不義の子を身ごもる。

巡る因果に源氏は人知れず戦慄する――。

もっとも、現存する「若菜上」の出だしは、「如月の十余日に、朱雀院の姫宮、六条院へ渡りたまふ」となっているが……。

「これって……」

紫式部が赤面してはにかんでいる。

ほんとう、紫式部という人は、かわいらしい少女のような人だ。

「千年後は残ってないかもしれないけど。本編の続きの第六帖ではなく、正真正銘、あなたのためだけに書いてみたの」

「あ、ああ……」

弥生は原稿の文字をそっとなでた。

胸から熱いものがこみ上げ、涙となって視界をぼやけさせる。

ぽとり、と涙が紙に落ち、せっかくの原稿をダメにしないかと慌てた。

「あなたを原型にして、ひとりのお姫さまを考えてみたの。ほら、あなたは小柄でかわいらしくて、誰かに悪口とか言われたらそのまま儚くなってしまいそうなくらいでしょ？　最近は少し雰囲気が違うかもしれないけど。そんなお姫さまと源氏との、ちょっとした短い物語」

書かれていたのは紫式部自身による、弥生のためだけの『源氏物語』の二次創作だった。

おっとりしていてかわいらしい小柄な姫君が、源氏のもとへ降嫁する。

源氏はすでにいくつもの恋を知っている。

その源氏からすれば姫君は物足りないが、源氏自身もまだまだ十八歳――「若紫」の頃だ。

源氏と姫君は不器用ながらも、愛を育み、やがて子供たちにも恵まれ、いつまでも幸せに暮らす……。


体裁も内容も、まさしくおとぎ話だった。

弥生は何度もしゃくり上げながら、ここにある幸せな物語を読み返す。


初めての恋が実って、ふたりで力を合わせて幸せを手にするお話。

誰もがこうありたいと思って、でも手に入れられない、ささやかだけど尊い幸せの物語。

それは、かつて弥生自身が書いた『源氏物語』の同人誌に、どこか似ていた。


紫式部がひとりで続ける。

「こんなふうにあなたを変えてしまって、ごめんなさい。でも、わたし、どうにかしてあなたにお礼がしたくて。でも、わたしはあなたにあげられるような品は何も持ってないから、物語を書いたの」

久しぶりに現代人の感覚が甦る。

推しの紫式部が自分だけのための二次創作を書いてくれただけでも、「すみませんでした」と切腹しなければいけないほどにうれしい。

そのうえ、こんなすてきな物語を読ませてくれたなんて……。

「わたし……ほんとにうれしい。ありがとう――」

「よかった」と紫式部が心底ほっとした顔を見せた。「『伊勢物語』で、みんなが自由に物語を書いていたのが楽しそうで。わたしもほんとはやってみたくて。自分の物語でやってみたんだけど」

「うん……うん……」

「大切なあなたにずっとわたしの物語のなかにいてほしくて――えっ⁉」

弥生は感極まって、紫式部に抱きついてしまった。

「ちょ、ちょ」と紫式部が慌てる。

彼女の薫香をしっかりかいで、弥生は彼女を解放した。

「この物語、のちのち『源氏物語』に生かせないかしら」

「え？」

「たとえば、この姫君を源氏の兄の子にすれば、若紫の姪になるでしょ？　そうすると、源氏の原型は自分だよなと思っているどこかの左大臣さまには、それらしい感じにならない？」

弥生が提案しているのは、いま受け取った物語を「若菜上」の下敷きに使おうということだった。

〝小少将〟は、いま述べた「女三の宮」のもとになった人物でもあるとも言われているからだ。

「紫の上とこの姫君が、鷹司殿と小少将と同じ叔母と姪の関係になれば、源氏の位置に道長さまが収まることもできる、か……」紫式部が吹き出す。「それにしても、『どこかの左大臣さま』だなんて」

「いいと思わない？」

ところが、紫式部は深刻な表情になった。

「でも、それではあなたが道長さまの妻か愛人のようになってしまう」

「そこは、ほら、物語だから」

弥生としても、道長の愛人などというのは平にお断り申し上げたかった。

しかし、道長が、源氏を自分がもとになっているのだと思って上機嫌になってくれれば、今後も紫式部の執筆環境を外護してもらえるだろう。

現代的に言えばパトロンとしてつなぎ止めておく、ということだった。

そんなことを平安時代の感覚で説明すると、紫式部も納得してくれた。

「わかった。でも」と紫式部はさらに心配事を口にした。「周りから何か言われるかもしれない。小少将は、それでほんとに傷つかない？」

「大丈夫。存分にやっていいよ」

そう答えたとき、弥生のなかで何かがすとんと腑に落ちた。


小少将の原型になったとも言われているが、物語のなかでの女三の宮は、以後の『源氏物語』の不幸や無常の引き金になってしまう役回りだ。

悪口を言われただけで死んでしまうのではないかと紫式部は小少将を許していながら、結構な重い役割を与えている。

それが疑問だった。

大学院生としての弥生は、「若菜上」「若菜下」を書く頃には、小少将はすでに没していたのではないかと思っていた。

だから、紫式部が無常の引き金になる「女三の宮」として書けたのではないかと思っていた。

しかし、いま小少将である弥生が「女三の宮」の役回りを引き受けると告げた。

これで紫式部は、思う存分「女三の宮」を書ける理由ができたのだ。

……うん？　もしかして〝小少将〟が短命でなくてもよくなった？

藤の花の向こうで鶯の鳴き声がした。

「先の話は先の話として、このあとの『源氏物語』の方向をどうしようか迷っているのだけど」

「どんなふうに？」

「そろそろ正室の葵の上に子供ができてもいいかなと思うのだけど、子供ができてしまったら葵の上の存在が大きくなりすぎてしまう気がして」

弥生はうなずいた。

「一緒に考えよう。わたしはずっとあなたの物語の最初の読み手で、いちばんあなたの物語をすてきだと思っていて——何よりも親友だもの」

推しある者の究極の姿だと思った。

紫式部が安堵する。

「ありがとう」

「でもそのまえに」と弥生は原稿を持ち直した。「もう一度、この物語を味わわせてもらってもいい？」
弥生はあらためて初めから「自分のためだけの物語」を読ませてもらう。
『源氏物語』では、まだ何人もの女主人公が出番を待っている。
朧月夜尚侍、明石の上に女三の宮、最後を飾る浮舟まで。
紫式部は、どうやってそれらの女主人たちを生み出していくのだろう。
創作の苦しみそのものは、弥生にはどうしようもない。
けれども。
小少将としての自分は、絶対にすべてを見届けなければいけない。
『源氏物語』も、紫式部自身の物語も、今度は最後まで見届けるのだ――。
「読み返してみて、どう？」
と紫式部が期待と不安の混じったまなざしで覗き込む。
弥生は顔をあげた。
「千年先のわたしも――ううん、わたし、永遠にこの物語を忘れないよ」
もっと詳しく話をしようとしたときだ。
どたどたと不躾な男の足音が聞こえた。

『源氏物語』の続きはまだか、という道長の声がする。
倫子も一緒に来たらしく、まあまあ、となだめる声が聞こえた。
風が吹いて藤の花が揺れる。
藤の花の濃い匂いが局を満たしていた。

本書は書き下ろしです。

本作品はフィクションです。実在の個人、団体とは一切関係ありません。（編集部）

実業之日本社文庫 え31

千年を超えて君を待つ

2023年12月15日　初版第1刷発行

著　者　遠藤 遼

発行者　岩野裕一
発行所　株式会社実業之日本社
〒107-0062　東京都港区南青山6-6-22 emergence 2
電話 [編集]03(6809)0473 [販売]03(6809)0495
ホームページ　https://www.j-n.co.jp/
ＤＴＰ　ラッシュ
印刷所　大日本印刷株式会社
製本所　大日本印刷株式会社

フォーマットデザイン　鈴木正道(Suzuki Design)

ISBN978-4-408-55849-3（第二文芸）